XXS

VIVRE LES PETITS ESPACES

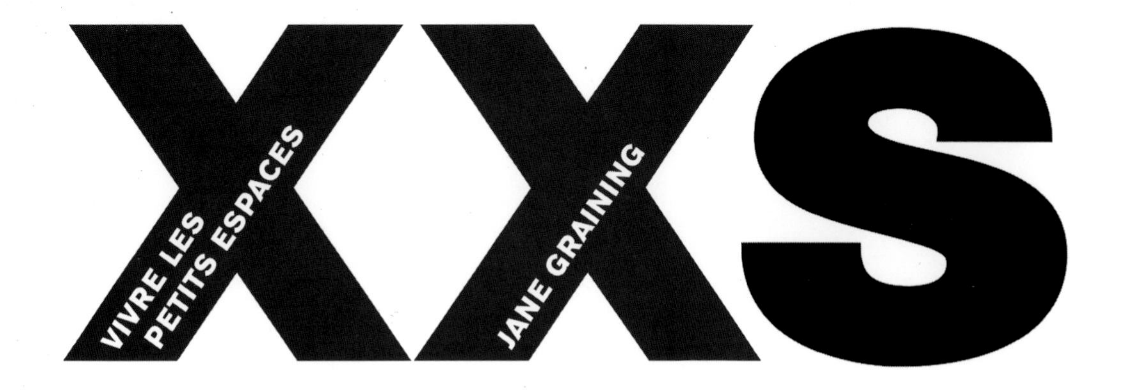
XXS
VIVRE LES PETITS ESPACES
JANE GRAINING

OCTOPUS

Publié pour la première fois en Grande-Bretagne
en 1999 chez Mitchell Beazley, pour Octopus Publishing
Group Limited, Londres

Dépôt légal 23315
ISBN 2-0126-0159-6
Imprimé en Chine

Responsable éditoriale : Judith More
Responsable artistique : Janis Utton
Responsable du projet éditoriale : Stephen Guise
Édition : Jane Donovan
Conception : Pike
Photographies originales : Dominic Blackmore
Illustrations : The Maltings Partnership
Production : Rachel Staveley
Index : Sue Farr

POUR L'ÉDITION FRANÇAISE
Traduction : Stéphanie Algrave
Adaptation et réalisation : Atelier Gérard Finel, Paris
Mise en pages : Cécile Boileau

SOMMAIRE

INTRODUCTION

Récemment, une enquête a révélé que 12,6 % des Français vivaient seuls, et pour la plupart en ville. C'est pourquoi, en raison de la forte demande de logements individuels et du prix élevé des terrains et des habitations, l'espace est devenu aujourd'hui un facteur essentiel dans le domaine de la décoration intérieure. Si l'on construit actuellement de nouveaux ensembles d'habitations composés de petits logements, d'anciennes maisons sont également transformées, depuis quelques années, en appartements et en chambres meublées. On divise en appartements les entrepôts abandonnés, les anciennes usines et toutes sortes d'autres bâtiments industriels. En outre, il apparaît que de plus en plus de célibataires et de couples préfèrent vivre dans des petits appartements situés en ville dans des quartiers agréables, plutôt que dans des grands appartements en banlieue.

Les architectes et les décorateurs d'intérieur sont bien conscients du fait que l'espace est devenu un luxe ; ils souhaitent donc apporter des solutions toujours plus inventives aux problèmes liés au manque d'espace. Concernant la meilleure manière d'agencer un petit appartement, les décorateurs énoncent toujours ce même principe : un espace réduit doit être modulable. On peut le rendre plus fonctionnel en lui attribuant, au minimum, une double utilité. En général, nous souhaitons disposer d'un emplacement pour cuisiner et pour manger, d'une chambre qui fasse office de salon, d'une pièce où recevoir les invités de passage et d'un lieu pour travailler, même s'il ne s'agit que de trier les factures. Mais pour autant, il n'est pas nécessaire de disposer de pièces différentes.

Vivre dans un petit appartement n'implique donc pas nécessairement l'aménagement d'une série de pièces minuscules. Construire des murs et s'imposer la contrainte de posséder une grande table en vue d'un éventuel dîner qui n'aurait lieu qu'une fois par mois est un luxe que l'on ne peut se permettre dans un espace réduit. Mieux vaut choisir une table plus petite, mais assez grande pour accueillir quelques personnes et extensible s'il y a davantage d'invités, ou encore une table que l'on peut rabattre dans un renfoncement mural ou un placard. Il en est de même pour les chambres inoccupées. Théoriquement, posséder une chambre pour recevoir parents et amis est une bonne idée, mais si elle est occupée seulement une fois par mois, le reste du temps, cet espace est perdu. Si on la transforme en bureau ou en salle de travail, tout en y installant un lit pour accueillir un invité, elle commence à jouer son rôle.

L'espace dévolu à la circulation est également un facteur qui doit être pris en compte. Dans un petit appartement, les couloirs doivent être réduits au minimum. S'ils sont obligatoires, par exemple pour se conformer aux règles de sécurité relatives aux incendies, conférez-leur un double usage : une table que l'on rallonge à l'occasion d'une fête pourra déborder dans un couloir, afin de mieux exploiter l'espace. Les difficultés que pose l'aménagement d'un petit appartement résident généralement dans la répartition de la superficie sur un même plan, et dans la circulation entre des zones généralement non cloisonnées. Il faut au préalable réfléchir à l'agencement de l'appartement : déterminez les activités auxquelles vous voulez consacrer la plus grande partie de l'espace. Il existe ainsi deux manières d'aménager son intérieur. La première consiste à le garder aussi ordonné et dépouillé que possible et à employer le minimum de meubles, afin que le regard saisisse d'emblée l'espace sans être accroché par un excès de détails.

La seconde consiste à organiser l'endroit en faisant varier la hauteur du sol et en créant différentes zones d'activité à l'aide de cloisons, qui donnent l'illusion de dissimuler un espace plus grand qu'il ne l'est en réalité.

Les petits appartements seront de préférence très ordonnés et devront donc, pour accueillir tous les objets que vous utilisez quotidiennement, disposer d'une multitude de rangements. Dès que possible, dissimulez les affaires, tout en les laissant accessibles. Les murs peuvent être utilisés pour travailler, manger et dormir : caché derrière une porte qui se fond dans la structure d'une pièce, un lit escamotable semblera simplement faire partie d'un mur.

En haut Dans cet appartement, conçu par le cabinet Circus Architects, un coin du salon est consacré aux repas. Entre deux portes de « placards » rouges, des briques de verre laisse pénétrer la lumière dans la salle de bains.

Au centre Ici, la pièce a une double fonction : lorsque les invités restent dormir, la table et les chaises, légères, sont déplacées sur le côté et les portes rouges s'ouvrent pour révéler deux lits escamotables individuels.

En bas Les propriétaires de l'appartement ont acquis un panneau doté d'un miroir et d'une partie en bois enroulable que l'on utilise comme paravent, avec la porte du « placard », pour isoler l'espace de repos de la principale pièce à vivre.

ORIGINAL

Ci-contre Dans ce petit appartement de 40 m^2, escalier compris, les architectes du cabinet AEM ont, en exploitant astucieusement les surfaces horizontales comme les surfaces verticales, réalisé un séjour spacieux, avec des emplacements précis pour cuisiner, manger et s'asseoir. La salle de bains est située derrière l'escalier métallique – doté d'espaces de rangement d'un côté, et aménagé en placard de l'autre – et sous la mezzanine. Au fond, une salle de travail inclut aussi un lit que l'on peut encastrer dans le mur. Dans le séjour, l'usage d'une gamme restreinte de matériaux – avec murs blancs et bois clair – contribue à donner au lieu fraîcheur, sobriété et clarté.

Ci-dessus à gauche
Dans cet appartement de 45 m², situé au premier étage d'une maison du XIXᵉ siècle, la salle de bains, la cuisine et les placards de la chambre sont disposés le long d'un mur situé au centre, dessinant ainsi un couloir ouvert entre la pièce qui fait office de salon, salle à manger et bureau, et la chambre. La cuisine et le bureau (installés dans des placards) sont situés côté salon ; des portes en accordéon dissimulent la cuisine et un store en aluminium masque le coin bureau.

Ci-dessus à droite
Les placards abritant la cuisine et le bureau occupent toute la hauteur du mur central, évitant ainsi de rompre l'harmonie visuelle. L'architecte Hugh Broughton a choisi des murs et des plafonds blancs, et un revêtement de sol en sisal.

Lorsque vous planifiez l'aménagement de votre appartement, pensez à tirer parti des surfaces verticales comme des surfaces horizontales. Les lits ou les sièges équipés de rangements permettent de gagner un précieux espace. Sous un escalier, il y a parfois assez de place pour aménager une buanderie ou un petit bureau ; dans le cas contraire, on peut y ranger les objets encombrants comme les vélos ou les équipements sportifs. Placez en haut ceux que vous n'employez qu'occasionnellement, et auxquels vous accéderez à l'aide d'échelles légères qu'il est possible de replier et de ranger. Les pièces dotées d'une grande hauteur sous plafond peuvent parfois accueillir une loggia, qui rehaussera l'intérêt d'un décor ; on pourra y installer un lit, un bureau, ou en faire un espace de rangement comme s'il s'agissait d'une étagère géante, tandis que l'espace situé dessous restera disponible pour d'autres activités.

Pour créer des espaces de rangement à plus petite échelle, ne négligez pas les volumes perdus que représentent les renfoncements et les coins aux formes biscornues dus – notamment dans l'immobilier ancien – à des caractéristiques architecturales, au passage de canalisations ou d'autres types de tuyauterie. Ils peuvent servir à installer des étagères de rangement ou d'exposition.

Lorsque nous approfondirons ces différentes idées, plus loin dans l'ouvrage, vous verrez que vivre dans un petit appartement exige une certaine organisation, de l'autodiscipline et parfois l'abandon de certaines de ses affaires. Pour qui souhaite relever le défi, cela peut donner lieu à des solutions merveilleusement inventives en matière de design.

LES DIFFÉRENTS MODES DE VIE

LES DIFFÉRENTS
MODES DE VIE

VIVRE EN SOLO Dans un immeuble de bureaux des années 1930 transformé en appartements par un promoteur immobilier, une femme active a trouvé un refuge qui répondait exactement à ses besoins.

Cet appartement de 70 m², acquis par son occupante actuelle, était l'un des plus petits de l'édifice et son plan était déjà prédéterminé. Resté à l'état brut, l'intérieur, avec son plancher, son plafond et son pilier en béton, évoquait davantage un parking. Un mur en briques rouges, supportant d'immenses fenêtres neuves, faisait face à des murs simplement recouverts d'un plâtre rose. Les conduites d'eau, de gaz et les câbles électriques s'arrêtaient juste au-dessus de la porte. Cependant, une grande partie du charme du lieu était liée à cet aspect industriel, offrant le cadre idéal au design et à la décoration de style sobre et contemporain souhaités par l'acquéreur.

La disposition actuelle résulte d'une collaboration initiale avec le cabinet Circus Architects et concrétise le désir de la propriétaire de conserver un espace aussi grand que possible pour créer un séjour clair. Membre du département des relations publiques d'une société internationale, elle organise régulièrement des dîners, qui restent néanmoins relativement informels ; c'est pourquoi la table peut aisément accueillir une dizaine de personnes et la cuisine n'est pas séparée du salon. Les pièces fonctionnelles – la cuisine, la salle de bains et le dressing – sont toutes disposées le long du mur latéral.

À gauche Le mobilier, sobre et minimaliste, souligne par ses lignes pures la structure de l'appartement. Différents espaces bien délimités s'organisent le long du mur du fond : à une extrémité se trouve la cuisine, en « L », et à l'autre un dressing de grande hauteur sous plafond. Entre les deux, une vaste salle de bains fermée, surmontée du coin chambre.

Grande photo centrale
Le plan de travail de la cuisine est dissimulé par un bar en forme de « L » séparant cet espace du reste de l'appartement. Les briques de verre des murs de la salle de bains laissent pénétrer la lumière naturelle.

Ci-dessous à gauche
Derrière la cloison arrondie, une table en hêtre et un miroir mural.

Ci-dessous au centre
Une niche située à l'extérieur de cette cloison abrite un objet d'art.

Ci-dessous à droite
L'escalier en spirale, qui mène à la mezzanine, est partiellement constitué de tubes d'échafaudages.

L'espace libre surplombant la salle de bains fait ingénieusement office de mezzanine. La lumière naturelle pénètre dans la salle de bains par des panneaux de briques de verre intégrés aux murs. La pièce principale, elle-même, n'a subi que peu de modifications, à l'exception de la mise en place d'un panneau courbe dans un coin. Posé au préalable pour respecter une réglementation du bâtiment, ce dernier crée un pôle d'attraction dans le salon tout en masquant un lieu de rangement supplémentaire.

L'impression de luminosité et d'espace est encore accentuée par le choix des matériaux du mobilier. Les nuances naturelles du bois blond clair des éléments de cuisine et des meubles, ainsi que du plancher en hêtre, contrastent subtilement avec les teintes crème des murs et les tons gris du plafond. D'immenses stores à enrouleur, que l'on referme à partir du bas, couvrent les deux fenêtres, ce qui permet de préserver l'intimité du lieu tout en laissant pénétrer la lumière.

Rez-de-chaussée

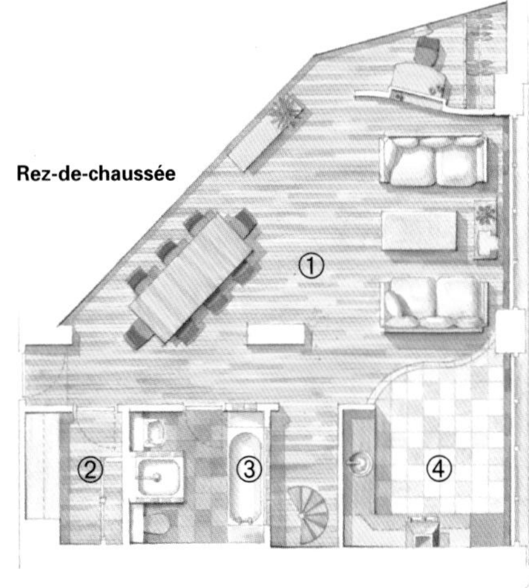

Mezzanine

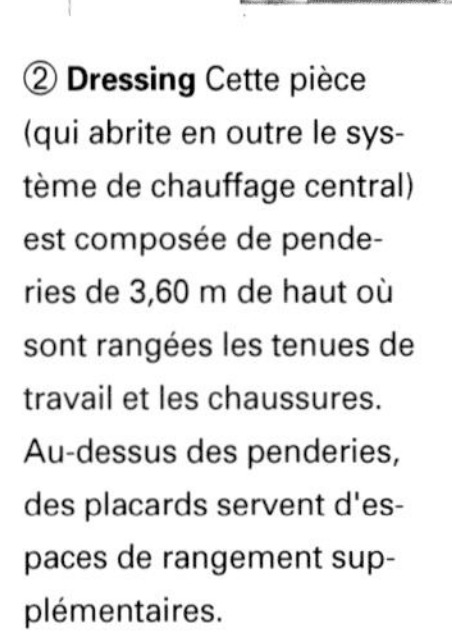

Plans Dans cet appartement presque triangulaire, le séjour occupe la plus grande partie de l'espace ; le salon-salle à manger, aux dimensions confortables, s'élargit de plus en plus quand on se dirige vers les fenêtres. Les principales pièces fonctionnelles – cuisine, salle de bains, mezzanine et dressing – se situent à droite de l'entrée.

① **Salon-salle à manger** L'entrée donne sur le coin repas et la table, situés au premier plan sur la gauche ; dans la partie opposée, deux canapés et une table basse sont disposés devant la cloison courbe.

② **Dressing** Cette pièce (qui abrite en outre le système de chauffage central) est composée de penderies de 3,60 m de haut où sont rangées les tenues de travail et les chaussures. Au-dessus des penderies, des placards servent d'espaces de rangement supplémentaires.

③ **Salle de bains** D'un côté se trouve la baignoire avec des étagères à chaque extrémité, de l'autre, le lavabo et la douche, laquelle dissimule les toilettes placées dans l'angle.

④ **Cuisine** Deux marches conduisent à cet espace surélevé ; le sol clair permet de matérialiser subtilement sa séparation avec le séjour. Des éléments bas ou muraux et un réfrigérateur forment le mobilier de rangement.

⑤ **Mezzanine** Elle comporte un grand lit double et trois placards.

LA VIE À DEUX Dans le quartier de Notting Hill, à l'ouest de Londres, on trouve une multitude de maisons victoriennes spacieuses et élégantes qui ont été divisées en appartements et en chambres meublées. Dans l'une de ces demeures, un jeune couple qui souhaitait vivre dans le quartier avait déniché un studio plutôt sombre. Ancienne salle de billard d'assez grandes dimensions, ce studio était doté d'une minuscule cuisine, inexploitable, et d'une salle de bains extrêmement étroite. Les seules fenêtres donnaient sur l'arrière des bâtiments voisins : l'endroit manquait donc de luminosité et l'on n'y jouissait d'aucune vue particulière. En revanche, il avait pour avantage de se prolonger à l'arrière de la maison sous un grand toit horizontal. Ses acquéreurs sentirent le fort potentiel du lieu, tout comme les architectes du cabinet AEM, qui finirent par obtenir le permis pour construire un étage supplémentaire.

Ce studio peu prometteur fut ainsi transformé en un appartement comportant deux chambres, deux salles de bains, une cuisine-salle à manger confortable et un salon lumineux donnant sur une petite terrasse. Ses deux étages sont désormais reliés par un escalier oblique, composé d'une seule volée de marches, et qui sert également de puits de lumière. Il permet ainsi de laisser pénétrer la luminosité au rez-de-chaussée. Le hall d'entrée aux dimensions généreuses offre immédiatement un sentiment d'espace. À droite de la porte d'entrée se trouvent deux salles de bains adossées, équipées de toilettes et de douches, et dotées d'une fenêtre commune donnant sur la cour. Disposées de part et d'autre de l'escalier, les deux chambres sont

À droite Dans un hall d'entrée spacieux, la lumière naturelle du jour pénètre par l'escalier jusqu'au centre du rez-de-chaussée. Le soir, l'éclairage du premier étage parvient également dans l'entrée. Des luminaires fluorescents, placés derrière la poutre horizontale du couloir, diffusent de la lumière sur le plafond voûté en briques, permettant ainsi d'éclairer les deux chambres.

Plans Dans ce duplex, les chambres, les espaces de rangement et les salles de bains sont situés au rez-de-chaussée, plus sombre que le premier étage. Les deux salles de bains et la chambre principale donnent sur la cour.

① **Chambres** Le mur du fond, entièrement recouvert de placards, constitue le principal espace de rangement de l'appartement. Une cloison en verre gravé sépare les chambres, tandis que la voûte de l'escalier renforce l'intimité dans la chambre principale.

② **Salles de bains** D'un côté, la baignoire est encastrée dans un espace de la taille d'un placard, doté d'une fenêtre. De l'autre, la douche empiète légèrement dans un coin de la seconde chambre, réservant habilement un espace libre pour le bureau.

③ **Salon** Cette zone est spacieuse et permet d'accéder à la terrasse par des portes en verre coulissantes. Des étagères apparentes ou cachées sont aménagées dans le haut de la paroi de l'escalier, pour accueillir le téléviseur et hi-fi.

④ **Cuisine** L'escalier sépare la cuisine du salon. Le long d'un mur se trouvent la cuisinière, l'évier et les placards. Sur le mur contigu, le réfrigérateur et la machine à laver sont encastrés dans des placards.

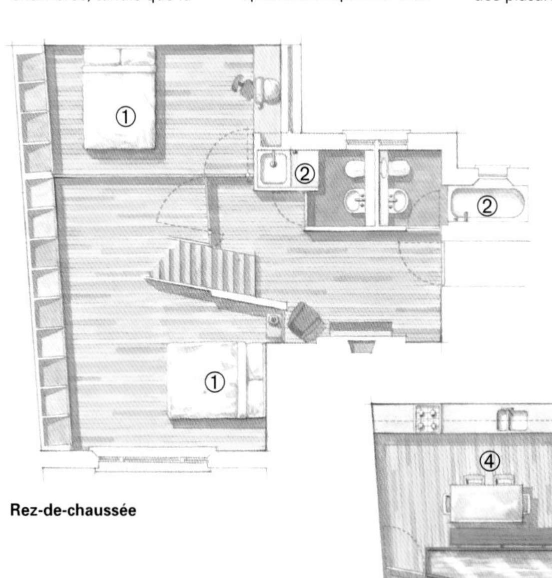

Rez-de-chaussée

1er étage

séparées par une paroi en verre gravé permettant d'accroître au maximum la luminosité. Lorsqu'elles sont ouvertes, les portes en bois de ces deux pièces donnent un aspect moins massif au mur plein.

Dans le salon, au premier étage, la lumière naturelle pénètre par une cloison de verre, et des portes coulissantes s'ouvrent sur une terrasse de caillebotis bordée de plantes en pots. Les parois de l'escalier débordent au-dessus du sol du premier étage et leur face externe a été utilisée d'une manière astucieuse : côté salon, la paroi de l'escalier fait ainsi office de meuble de rangement pour le téléviseur, la chaîne hi-fi et les livres ; côté cuisine, elle sert de dossier à un banc. La cuisine, dotée d'une cloison de vitres coulissantes et d'une porte pivotante, peut être fermée lorsque l'on prépare les repas sans que l'impression d'espace ne s'en trouve affectée. Les couleurs vives, employées avec discernement au sein d'un cadre neutre, s'accordent bien pour transformer cet espace en un appartement très clair.

Ci-dessus à gauche
La verrière du studio initial a été réutilisée pour l'ouverture réalisée dans le plafond de la cuisine.

Ci-dessus au centre
Sous la verrière du premier étage, un plan vitré laisse pénétrer la lumière jusqu'au rez-de-chaussée et offre un point de vue inattendu sur le couloir.

Ci-dessus à droite
Un espace de rangement protège la cage d'escalier tout en délimitant le salon. Les teintes bleu vif du canapé et rouges de l'escalier offrent des contrastes et s'équilibrent.

Ci-contre à gauche
Des panneaux de verre coulissants séparent la cuisine du salon.

LA VIE À TROIS

Acquise par un couple avec un jeune enfant, cette école du XIXe siècle permettait d'aménager un intérieur contemporain au sein d'une structure traditionnelle. Cette habitation se composait uniquement de son ossature et d'une petite mezzanine simple. Les architectes du cabinet Granit avaient pour consigne d'y créer des chambres et une salle de bains séparées tout en conservant le séjour ouvert, de grande hauteur, qui plaisait tant à la famille.

Ils ont donc résolu d'éliminer la mezzanine et d'installer une structure en acier permettant la création de deux niveaux supplémentaires, sans abaisser le plafond du rez-de-chaussée. Un escalier en spirale introduit de gracieuses courbes théâtrales ; il mène à la loggia du premier étage, dotée d'une balustrade en bois arquée vers l'extérieur. Une partie de la voûte de cet étage surplombe l'entrée, ce qui donne une impression de hauteur et d'espace lorsque l'on entre. Plus loin se trouve une petite buanderie, dissimulée derrière les portes de placard contiguës à la cuisine. Un plan de travail courbe, en bois d'érable, sépare la cuisine de la grande pièce qui fait office de salon-salle à manger. Son arrondi répond à la balustrade de la mezzanine supérieure, où est installé un bureau. Il s'harmonise aussi parfaitement avec la colonne architecturale en acier, située à l'une de ses extrémités, et qui sert d'axe à l'escalier en spirale de la chambre du dernier étage.

Les combles ont été aménagés de façon à servir de chambre, et l'on a conservé la surface intégrale de la pièce en posant un plancher en chêne jusqu'à la jonction entre le sol et le toit. Bien qu'il soit trop petit pour accueillir des objets volumineux, cet espace non cloisonné

Page 22 Dans la cuisine, un patchwork de couleurs vives constitue un pôle d'attraction important et contrebalance l'effet de la balustrade en bois courbe de la loggia. Les matériaux naturels de la charpente du bâtiment, comme les murs en brique jaune et le plancher en chêne, s'harmonisent avec la structure en acier inoxydable qui domine le cœur de l'appartement.

présente une belle surface. Un mur courbe ouvre sur une salle de bains circulaire, comportant une douche de forme cylindrique et un dressing de plain-pied. À l'étage intermédiaire, la chambre d'enfant n'atteint que 2 m de plafond ; ses portes ouvrent sur la loggia et sur la voûte de la salle à manger, de grande hauteur, du rez-de-chaussée. Près de l'entrée, l'extrémité du rebord incliné du toit est dissimulée par une banquette située sous la fenêtre, et de profonds placards s'élèvent jusqu'au plafond. De l'autre côté de la chambre, des marches conduisent à une salle de bains en contrebas, qui exploite l'abaissement du plafond, à cet endroit, à l'étage inférieur. Au même niveau, à l'autre extrémité, on trouve une pièce non cloisonnée, servant de bureau.

Les matériaux utilisés rendent l'ensemble harmonieux. Des planchers en chêne modernes et anciens, des portes en frêne, des briques jaunes à nu, du bois se juxtaposant à de l'acier inoxydable et un choix de carreaux de céramique de couleurs vives composent des détails pleins d'intérêt, mais préservent l'impression d'ouverture.

Ci-dessus Un placard ingénieux, situé à gauche lorsque l'on entre, renferme un évier surmonté par des étagères, ainsi qu'une machine à laver et un sèche-linge.

Photo centrale Le plafond du coin salon du rez-de-chaussée crée une certaine intimité au sein du séjour ouvert.

Ci-contre Les portes de placard atteignent le plafond et font paraître la chambre plus haute. La banquette placée sous la fenêtre dissimule l'inclinaison du toit.

Plans Un appartement de trois niveaux a été transformé à l'intention d'une famille, en conservant un espace entièrement ouvert au rez-de-chaussée. L'escalier encadre l'entrée, et un plan de travail sépare la cuisine du salon-salle à manger. La lumière pénètre au rez-de-chaussée par une ouverture surplombant l'entrée et par le plafond de grande hauteur de la salle à manger. Le premier étage abrite une chambre d'enfant, une salle de bains et un bureau protégé par une balustrade. Au dernier étage, la chambre principale est mansardée. Une salle de bains circulaire est située derrière l'escalier, tout en haut, avec d'un côté un dressing et de l'autre un placard. Des portes s'ouvrent sur une terrasse.

① **Entrée** La porte de la façade s'ouvre sur le hall d'entrée, qui comporte de nombreux placards.

② **Salon-salle à manger** La table est située dans la partie la plus haute du plafond. La lumière provient de la zone ouverte de l'étage supérieur ainsi que de deux grandes fenêtres et de portes-fenêtres percées dans le mur de la façade. Le coin salon est situé sous la loggia.

③ **Placard de service et cuisine** Le placard de service est situé à gauche de l'entrée principale. Sur le côté se trouve une cuisine comportant une cuisinière, bordée par des meubles bas et muraux. L'évier et le lave-vaisselle sont encastrés dans les meubles bas ; le réfrigérateur est sous le plan de travail.

④ **Chambre** La chambre d'enfant possède de spacieux placards encastrés et une grande surface au sol.

⑤ **Salle de bains** Ici, un hublot donne sur le couloir.

⑥ **Bureau** L'un des membres du couple étant étudiant, un coin de travail s'avérait indispensable.

⑦ **Chambre et salle de bains** Un placard-dressing de plain-pied jouxtant la salle de bains rend inutile tout autre meuble que le lit-bateau dans la chambre principale.

⑧ **Terrasse** Une porte à deux battants s'ouvre sur une terrasse revêtue de bois.

Rez-de-chaussée

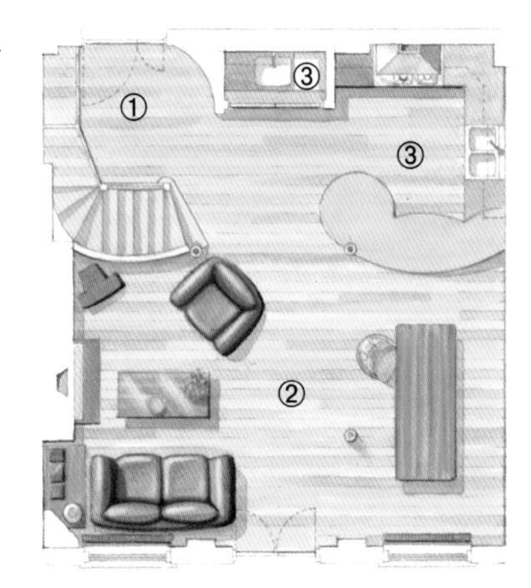

1er étage

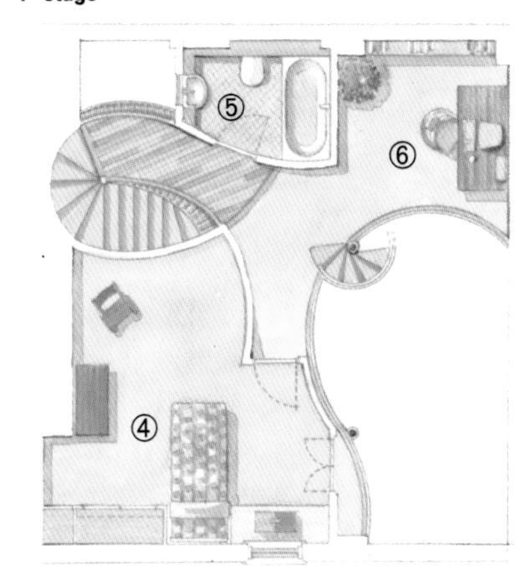

Mansarde

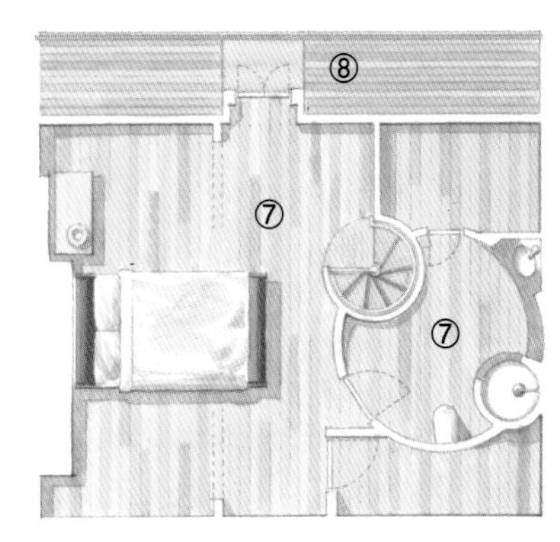

TRAVAILLER CHEZ SOI

Ces dix dernières années, des promoteurs londoniens se sont attelés à la transformation d'anciens bâtiments industriels en appartements. Ce type de reconversions forme aujourd'hui l'essentiel de l'immobilier résidentiel à Londres. L'immeuble Piper, décoré de fresques murales par l'artiste John Piper pour le compte de British Gas au début des années 1960, est l'un de ces anciens bâtiments industriels. Pour un homme d'affaires très actif, dont le métier implique de nombreux voyages à l'étranger, cet édifice représentait l'occasion d'aménager complètement un appartement, à la fois pour y vivre et y travailler.

Ce sont les architectes du cabinet Wells Mackereth qui ont été chargés de concevoir cet appartement de 145 m². Ils ont éliminé la mezzanine qui courait sur toute la longueur de l'espace. En effet, leur client consacrerait ici du temps à son travail et à ses activités sociales ; aussi souhaitait-il conserver une partie de la double hauteur, afin que l'appartement demeure aussi aéré que possible. Une cuisine aménagée a été installée le long d'un mur à une extrémité de l'appartement : elle se compose de placards très hauts, excédant nettement la hauteur des éléments de cuisine classiques. Au centre de l'appartement a été aménagée une chambre d'amis dont les cloisons transversales incluent des espaces de rangement ; l'une d'elles, la plus centrale, fait office de séparation entre le séjour-bureau et l'espace où se trouvent les chambres et la salle de bains. Le hall d'entrée est situé sur un côté et donne sur un étroit couloir latéral. Pour accéder plus facilement à la partie supérieure des placards et à la mezzanine qui sert d'espace de

Page 27 Le placard mural du séjour-bureau comprend, d'un côté un espace de bureau avec une table de travail, des tiroirs et une étagère ; un volet coulissant s'abaisse, dissimulant tout l'ensemble aux regards. Sur la gauche le foyer de cheminée, le téléviseur, ainsi que l'équipement vidéo et hi-fi, et des accessoires sont soigneusement rangés dans des boîtes et des tiroirs. À gauche du placard le petit couloir mène à la chambre, et à droite le hall d'entrée et sa mezzanine servent d'espace de rangement.

À gauche Dotée d'une structure ingénieusement articulée en deux parties, cette table possède un plateau recouvert d'un placage en noyer et un piétement en métal monté sur roulettes. Dépliée, elle est assez grande pour servir de table de réunion ou accueillir une dizaine de convives.

Grande photo centrale Faite sur mesure, composée de panneaux de médium et d'acier inoxydable, la cuisine équipée est adossée au mur. Elle a été peinte dans un ton lilas vif pour trancher avec les différentes teintes de blanc et de gris de l'appartement. Le placard situé sur le côté, est accessible au moyen d'une échelle, légère et mobile.

Petite photo page 29 Le bureau et les étagères disparaissent grâce à un volet coulissant qui, une fois fermé, semble faire partie des murs.

Ci-contre L'entrée est placée sous la mezzanine et dispose d'une penderie assez haute pour placer les chaussures sous les vêtements. Des niches permettent de ranger des sacs ainsi que le télécopieur, libérant ainsi le bureau.

rangement dans l'entrée, une barre continue en acier inoxydable a été posée à même hauteur sur tout le pourtour du salon-salle à manger et de la cuisine. Il suffit alors simplement de déplacer une échelle légère le long de celle-ci. Une mezzanine a été installée au-dessus de la chambre principale : elle comporte une grande salle de bains (invisible depuis la chambre) ainsi qu'un espace pouvant accueillir un lit ou des rangements. Cette mezzanine surmonte à la fois un placard-dressing de plain-pied, une salle de bains-buanderie et le hall d'entrée.

Le mobilier, dans tout l'appartement, présente une multitude de détails ingénieux. Tous les éléments peuvent coulisser, se pousser ou se tirer, de sorte que les nombreux placards et modules de rangement semblent faire partie des murs. Un volet coulissant s'abaisse pour dissimuler le bureau, des panneaux légers masquent les fenêtres et un autre, inclinable et encastrable, cache le téléviseur. Pour une personne qui travaille chez elle et organise fréquemment des réunions, l'appartement peut avoir une apparence tout à fait professionnelle ; cependant tout peut être rangé sans effort et dissimulé une fois le travail achevé.

Mezzanine

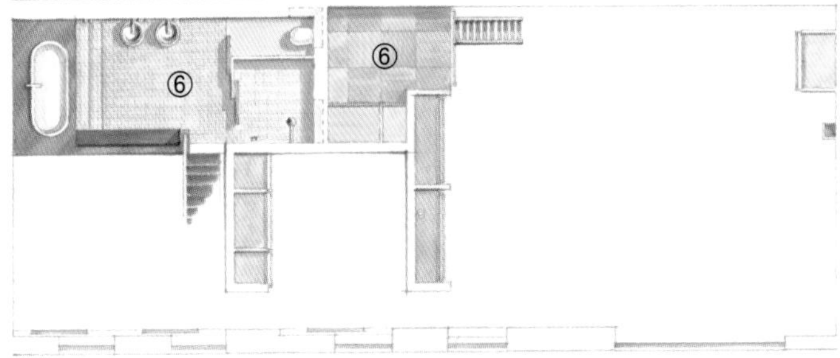

Rez-de-chaussée

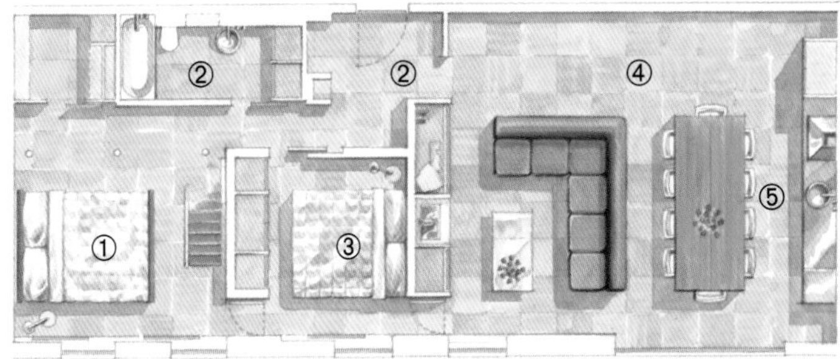

Plans L'appartement a été redessiné de façon à ce que la mezzanine surplombe la partie où se situent les chambres et la salle de bains. Ceci permet ainsi au salon-salle à manger de conserver sa hauteur de plafond.

① **Chambre principale** Dans un angle se trouve un grand placard de plain-pied doté d'une penderie, et d'espaces de rangement.

② **Salle de bains-buanderie et hall d'entrée** Ces pièces sont placées sous la mezzanine. Ainsi, l'équipement nécessaire à l'entretien du linge reste à l'abri des regards.

③ **Chambre d'amis** De hautes portes pivotantes en verre séparent la chambre d'amis de la chambre principale, et du salon-salle à manger.

④ **Salon-salle à manger** Des canapés séparent l'espace cuisine-salle à manger coin-travail.

⑤ **Cuisine** Des éléments bas, adaptés, accueillent le lave-vaisselle et le four.

⑥ **Mezzanine** Une salle de bains aménagée en mezzanine possède d'un côté une baignoire encastrée dans une estrade surélevée de l'autre une douche. Derrière une cloison, une plate-forme permet d'installer un lit ou des rangements.

LE SÉJOUR

L'AGENCEMENT

Le séjour est la pièce de la maison dans laquelle les personnes qui travaillent passent le plus de temps. Dans de nombreuses familles, il a pris le pas sur la cuisine et est devenu le véritable cœur de la maison. C'est à la fois un lieu d'activité et de détente. Pour la plupart d'entre nous, le séjour est un endroit qui permet d'échapper au stress et aux contraintes du monde extérieur, où l'on peut se pelotonner sur le canapé avec un livre ou un magazine, se prélasser contre une pile de coussins pour regarder le téléviseur ou écouter un nouveau disque compact. C'est le lieu où l'on s'assoit et où l'on discute avec son compagnon, ses enfants ou ses amis, et où l'on doit pouvoir se sentir complètement à l'aise. Cependant, il s'agit certainement aussi de la pièce la moins intime de votre appartement, dans laquelle vous recevez vos invités et vous efforcez de leur réserver le meilleur accueil possible. Le séjour reflète l'image que vous voulez donner au monde extérieur : il est une affirmation de votre style personnel.

Ci-dessus Une petite verrerie d'un étage a été transformée par les architectes d'Hawkins Brown en une maison de trois pièces, avec une chambre servant de bureau.

À droite Le salon-salle à manger de la verrerie exploite toute la hauteur de l'édifice. Un mur et un plafond de verre apportent un maximum de clarté, de sorte que la pièce est baignée par la lumière naturelle quel que soit le temps. La cage d'escalier sculpturale crée des recoins et des renfoncements intéressants, permettant notamment d'installer un siège contre l'un d es murs. Sous l'escalier, une ouverture carrée a été percée dans le mur et fait office de passe-plats entre la cuisine et la salle à manger.

Tout en restant une pièce de détente, le séjour, dans un intérieur où la cuisine est trop petite pour accueillir une table, fera également office de salle à manger. La table pourra aussi servir de bureau ou de plateau pour des activités de loisirs. Parce qu'il peut remplir une multitude de fonctions, le séjour est une pièce très difficile à agencer et à meubler. On peut donc s'étonner du fait que, alors que personne ne tenterait de concevoir une salle de bains ou une cuisine sans en dessiner, au préalable, un plan à l'échelle, nous procédons de manière beaucoup plus empirique pour organiser cette pièce. Il relève pour-

colour

À gauche Ouverte sur les autres étages, la pièce à vivre de cette ancienne verrerie est située sous la partie la plus basse du toit, c'est-à-dire du côté de l'édifice qui donne sur le fleuve. Les plus petites pièces – la cuisine, les salles de bains et les chambres-bureau – sont soigneusement articulées sur deux niveaux, du côté de la façade donnant sur la rue. Le séjour se caractérise par son toit incliné, ses détails architecturaux rigoureux et sa cage d'escalier, conduisant à la mezzanine. L'absence de cloisons entre ces deux étages permet à la lumière de se diffuser dans la pièce principale.

tant du bon sens d'en tracer le plan sur du papier millimétré, en figurant les éléments fixes comme les fenêtres, les portes et les cheminées, ainsi que le chemin emprunté pour se rendre dans les autres pièces. Dans le séjour, où l'on a souvent grand besoin de prises électriques, indiquer leur emplacement est également important. Parallèlement au téléviseur, au magnétoscope et à la chaîne hi-fi, vous aurez certainement besoin de quelques éclairages localisés pour des activités spécifiques, comme la lecture.

Une fois que vous avez indiqué les éléments fixes de la pièce, l'essentiel, pour que votre séjour soit fonctionnel, consiste à trouver un emplacement approprié pour les sièges et le mobilier. S'il y a de la place, posséder deux canapés confortables est un bon point de départ. Choisissez de préférence des canapés deux places plutôt que des fauteuils ou des canapés trois places (on aime rarement être assis en rang). Ayez en réserve une demi-douzaine de chaises qui pourront servir à l'occasion, lorsque vous recevrez des amis. On regarde généralement le téléviseur dans le séjour, même si l'on dispose de postes dans d'autres pièces ; c'est pourquoi les sièges doivent être disposés de façon à nous permettre de la regarder confortablement. Ils doivent aussi faciliter la conversation ; en parlant, nous nous tournons vers nos interlocuteurs et personne n'aime être contraint de crier au loin. Prévoyez également des sièges pour les activités individuelles, comme la lecture.

À droite Le cabinet Circus Architects devait transformer ce logement peu commode, de grande hauteur sous plafond, en un appartement doté d'un salon-salle à manger, d'une cuisine, d'une chambre (ainsi que d'une chambre d'appoint pour les invités), d'un espace de travail et de deux salles de bains. Les consignes étaient de donner à l'appartement un caractère modulable. La cuisine (située à droite de la photo) est légèrement surélevée, pour marquer sa séparation avec le coin séjour. Au fond se trouve le coin repas, équipé de deux lits escamotables individuels. Une salle de bains, un bureau, un dressing et une chambre dotée d'un panneau de verre ouvrant sur le haut du séjour ont été aménagés à l'étage. La seconde salle de bains est logée sous l'escalier.

Dans les pièces non cloisonnées, on peut économiser de la place en rangeant le matériel électrique, les objets et les livres sur des étagères d'exposition, sur pied, pouvant aussi servir de séparations. Dans les petites pièces, en revanche, bien que cela puisse coûter beaucoup plus cher, le matériel électrique et les accessoires qui l'accompagnent seront de préférence dissimulés. On les rangera sur des rayonnages munis de portes, tout comme les boîtes de jeux, les piles de magazines, les catalogues et autres objets que nous utilisons quotidiennement. L'emploi de meubles de rangement dotés de portes, lorsque c'est possible, permet de conserver une impression générale d'ordre et de quiétude.

Néanmoins, il est difficile d'imaginer un salon ne comportant ni livres ni tableaux ; mais si vous souhaitez que votre intérieur paraisse plus grand qu'il ne l'est en réalité, plus sobre et épuré, il faut faire preuve d'une certaine discipline. S'il est impossible, selon vous, de vivre quelque part sans que n'entrent en scène quelques objets personnels, efforcez-vous de les placer dans des endroits assez discrets. Par exemple, installez au-dessus des portes ou des fenêtres les étagères destinées à accueillir des livres ou des objets d'art, sans négliger les précieux espaces situés autour ou entre les fenêtres. Groupez les objets que vous souhaitez mettre en scène et disposez-les joliment dans des endroits soigneusement choisis, pour ne pas rompre l'aspect ordonné du lieu.

JVC

Page 38 Les architectes du cabinet Littman Goddard Hogarth ont employé des oranges et des jaunes vifs pour donner un côté audacieux à ce petit appartement. Utilisées sur des cloisons mobiles et le panneau contigu, ces couleurs sont entièrement cernées par un plafond et des murs blancs. De même, le plancher en bois pâle tempère l'effet de ces couleurs.

Ci-contre La cloison orange vif coulisse pour révéler la chambre et recouvre un panneau de verre translucide permettant à la lumière du séjour de filtrer à l'intérieur de la salle de bains. Tout en pénétrant dans la chambre, on préserve davantage l'intimité de la salle de bains. Le couvre-lit orange et jaune à carreaux permet d'établir un lien visuel entre les différentes zones.

UTILISER LA COULEUR

Il est généralement admis que les pièces que l'on utilise dans la journée doivent de préférence être ornées de tons pâles, clairs, qui les font paraître aussi nettes et spacieuses que possible. La nuit, en revanche, les couleurs plus chaudes et plus riches réagissent mieux à l'éclat de la lumière électrique, et créent une ambiance plus chaleureuse et plus accueillante. Si votre séjour est petit et que vous vous y tenez de jour comme de nuit, mieux vaut ne pas choisir pour les murs des couleurs trop riches, car elles rendraient la pièce encore plus étroite. Il n'est pas pour autant impossible de créer une ambiance intime et paisible avec des tons neutres ; on peut y parvenir en utilisant intelligemment l'éclairage. Cependant, n'excluez pas complètement toutes les couleurs fortes de votre intérieur, mais employez-les par plages plutôt que sur des surfaces entières. En utilisant pour les murs des tons de blancs ou des nuances neutres et apaisantes de crème, gris ou beige, même les plages de couleurs vives de petites dimensions attireront fortement le regard. Néanmoins, l'impression générale d'espace sera préservée.

Tout comme vous pouvez vous servir de paravents ou de placards pour créer différentes zones dans une pièce, vous pouvez utiliser la couleur pour délimiter l'espace. Ces deux méthodes conjuguées fonctionnent à merveille. Ainsi, si un appartement ne comprend qu'une pièce principale, la couleur peut servir à repérer visuellement les zones correspondant à une fonction précise : par exemple l'espace de travail, le coin cuisine-salle à manger, et l'endroit où l'on dort et regarde le téléviseur. Pour délimiter plusieurs zones dans une pièce, il n'est pas nécessaire de limiter l'usage de la couleur à de vastes surfaces verticales, comme les paravents, les murs ou les placards : les tissus des canapés et des fauteuils peuvent produire le même effet et isoler visuellement le coin salon du reste de la pièce.

Il arrive fréquemment que l'on privilégie les décors monochromes dans les petits appartements ; mais, sans utiliser de forts contrastes de couleurs, on peut délimiter d'une manière subtile plusieurs zones dans une pièce, en se servant de matières aux textures différentes. Celles-ci accrocheront le regard et serviront à identifier un espace précis. Les planchers en bois rugueux, les peintures mates crayeuses, le lin apprêté lisse et la laine bouclette ont tous des textures riches, naturelles, présentant un contraste intéressant avec le charme plus brut du béton, de la pierre, de l'acier inoxydable et des peintures brillantes à reflets.

Dans les petits espaces, l'utilisation de motifs doit être restreinte. En effet, ils captent beaucoup d'attention dans une pièce et alourdissent le décor. Au lieu de choisir des papiers peints, des tissus ou des tapis à motifs, préférez des ensembles de petits accessoires, comme des photographies en noir et blanc, une étagère de livres, ou une simple rangée de verres identiques.

À droite Pour profiter au mieux de la verrière et de la terrasse les architectes du cabinet Ash Sakula ont aménagé le séjour dans une minuscule mansarde au dernier étage. La grande cheminée rectangulaire, peinte en blanc, et la courbe spectaculaire de la cloison en haut de l'escalier forment un motif géométrique rehaussant la structure de la pièce. Les meubles aux couleurs vives permettent de personnaliser le coin-salon.

À droite Un petit appartement, situé au-dessus d'un local commercial, a été transformé par les architectes de Granit, qui ont éliminé le plafond et posé une verrière derrière le parapet existant. Ils ont ainsi pu rajouter une mezzanine, où sont aménagées une chambre et une salle de bains, qui apporte une nouvelle sensation d'espace et de lumière dans le séjour.

Ci-dessous La structure aérée du nouvel escalier en bois permet à la lumière de pénétrer par la verrière jusqu'à la porte d'entrée située tout en bas. Le mur en béton armé de la façade est en grande partie utilisé pour le rangement (les rayonnages font office de barrière et d'isolant contre le bruit).

Ci-dessous Le propriétaire de cet appartement possède un grand nombre de disques compacts. Pour un minimum d'encombrement, ils ont été placés sous le rebord en bois surmontant la paroi de l'escalier, où ils restent facilement accessibles.

GAGNER DE LA PLACE

Accroître l'impression d'espace dans votre séjour équivaut à faire illusion : il s'agit de le faire paraître plus grand qu'il ne l'est en réalité. Il y a bien des manières d'y parvenir. Cependant, nous les avons classées ici en trois catégories : le renouvellement de la décoration, le nouvel agencement et l'éclairage. Le renouvellement de la décoration est la technique la plus simple et celle qui porte le mieux ses fruits, tout en étant la moins onéreuse. Elle permet d'alléger et d'embellir une pièce, en la faisant paraître plus spacieuse.

Améliorer son agencement de manière à ce qu'il y ait suffisamment d'espaces de rangement confère à une pièce un aspect ordonné et rationnel, de sorte qu'elle dégage un sentiment de quiétude. Lorsque vous essayez d'accroître l'impression d'espace dans votre séjour, il peut s'avérer très utile de faire appel à votre imagination. Vous pouvez par exemple trouver le moyen d'intégrer de nouveaux rangements dans la structure de la pièce sans y introduire de nouveaux éléments de mobilier.

Cependant, si vous préférez acquérir des meubles neufs, choisissez ceux qui peuvent éventuellement avoir un double usage. Les malles et les coffres peuvent servir d'espaces de rangement et de tables basses, sur lesquelles on posera les magazines et les tasses. En les recouvrant d'un coussin, on peut même les utiliser comme sièges d'appoint. Dans les maisons anciennes dotées de fenêtres en saillie, on peut tirer parti de cet espace supplémentaire en construisant sous la fenêtre un placard bas que l'on recouvre. Il pourra ainsi servir de siège. Aujourd'hui, on dispose d'une gamme importante de canapés et de banquettes-lits – qui servent tout autant de sièges que de lits – ou de poufs renfermant le mécanisme d'un lit pliant. De même, il est également utile d'acquérir de plus petits meubles, comme des tabourets pouvant se transformer en marchepieds.

À gauche Le styliste Ben de Lisi a abordé dès le début de la conception de son appartement la question des rangements avec son architecte d'intérieur, Adam Dolle. Ce dernier a proposé d'aménager des niches dans le salon, manifestement en vue de donner de l'intérêt et du relief à ce qui était une pièce carrée, uniforme et sans recoins ; mais aussi afin de dissimuler la plomberie et les câbles électriques, et permettre de ranger les livres et les magazines avec un encombrement réduit.

Page 45 Dans l'appartement de De Lisi, une cloison mobile en noyer sépare le salon de la minuscule cuisine. Il a été conçu de façon à ce que la lumière provenant de la cuisine puisse se diffuser dans tout l'espace. La pièce possède des meubles aux lignes géométriques classiques, fluides et régulières, qui ne créent pas d'effet de masse.

Les modifications de la structure d'une habitation nécessitent davantage d'efforts, tant sur le plan financier que sur le plan imaginatif. Néanmoins, ce sont parfois des changements minimes et relativement simples, comme l'élimination d'une cloison pour ouvrir une perspective intérieure et restructurer le séjour, qui donnent les résultats les plus éblouissants. Lorsque l'on dispose d'une grande hauteur sous plafond, la création d'une loggia ou d'une mezzanine constitue une modification spectaculaire. L'organisation spatiale s'en trouve transformée, ainsi que la surface disponible ; vous disposez ainsi au minimum d'une autre pièce, qui peut être aménagée, par exemple, en bureau.

Au faîte de nombreux bâtiments, les combles peuvent aussi être aménagés de multiples manières. Si l'on ouvre cet espace en éliminant le plafond, en posant des lucarnes, voire une verrière, on peut le transformer de façon à en faire un espace vivant et lumineux. En ville, une vue panoramique sur un ensemble de toits aux formes éclectiques peut s'avérer merveilleusement belle et rivaliser avec la douceur d'un paysage de campagne. Nous disposons rarement du courage nécessaire, ou du savoir-faire indispensable en matière d'architecture, pour procéder à des modifications structurelles sans l'aide d'un professionnel. Si de simples cloisons internes ou des loggias ne requièrent généralement pas l'obtention d'un permis de construire, il est

Page 46 Les architectes du cabinet AEM ont agrandi l'espace exploitable de cet appartement en éliminant les supports du plafond et du toit, et en soutenant les versants de la toiture à l'aide de nouvelles structures métalliques. La salle de bains et un petit bureau servant également d'espace de rangement et de chambre d'amis sont situés à droite de l'escalier. À l'étage au-dessus se trouve une mezzanine. L'espace salon-salle à manger est derrière l'escalier et la cuisine.

À droite Dans ce même petit appartement, la principale pièce à vivre est délimitée par la silhouette géométrique d'un escalier original. Des portes ont été ajoutées sur un côté de ce dernier pour transformer le vide situé sous les marches en un espace de rangement. De l'autre côté de l'escalier, les éléments de cuisine s'intègrent parfaitement à la structure.

vraisemblable que toute extension, ou toute transformation des combles, nécessitera une autorisation officielle. Et elle devra respecter les réglementations relatives à la protection contre les incendies. En cas de doute, prenez conseil au préalable.

Dans les maisons et les appartements dont il est impossible de modifier la structure, et dont le séjour présente certaines contraintes, agrandir la hauteur d'une pièce pour la rendre plus spacieuse n'est pas toujours envisageable. Il vaut mieux morceler l'espace à l'aide d'un écran ou d'un panneau de moins grande hauteur que le plafond. Ils vous permettront de délimiter un espace sans utiliser de portes. Si l'on isole une zone – un coin cuisine ou un coin repas, par exemple – à l'aide d'une cloison laissant passer la lumière au-dessus, et si l'on place celle-ci à l'opposé de l'entrée, elle constituera dans une pièce un véritable pôle d'attraction. En outre, elle donnera à penser qu'un espace tout aussi grand se trouve derrière.

Les cloisons permettent de créer des séparations à peu de frais. Elles peuvent servir à délimiter un espace ayant une attribution particulière, ou à dissimuler des objets, en lieu et place d'un placard. Elles peuvent être réalisées à l'aide de panneaux de médium ou d'aggloméré, être assemblées à l'aide de charnières, et peintes ; ceci est à la portée du bricoleur le moins averti. En revanche, les cadres garnis de verre sablé, de la hauteur de la pièce et fixés à la fois dans le sol et dans le plafond, doivent être installés par un bricoleur expérimenté ; ils feront un excellent écran. Le réel avantage de cette solution est que la lumière provenant de derrière le cache filtre à travers toute la surface de celui-ci.

Ci-contre Il est idéal de posséder des placards encastrés. Ils peuvent s'intégrer à la pièce et être peints ou finis de manière à s'harmoniser au style et aux matériaux de votre intérieur. Ici, la chaîne hi-fi est soigneusement empilée derrière une porte inclinable, que l'on peut insérer dans une fente du placard si nécessaire. Juste au-dessous les tiroirs sont munis de compartiments pour les disques compacts et les cassettes. Certains équipements, comme cette chaîne intégrée avec ses haut-parleurs, sont si esthétiques qu'il est inutile de les cacher. En outre, la possibilité de les fixer au mur permet d'économiser de la place.

En organisant à la fois l'éclairage et l'agencement de la pièce, il vous sera plus facile d'obtenir le bon équilibre entre intimité et sentiment d'espace au sein d'un séjour multifonctionnel. Un éclairage général fourni par des lampes à faisceau descendant, posées au plafond ou encastrées dans celui-ci, illuminera même les recoins de la pièce et créera l'illusion d'agrandir l'espace. Ce type d'éclairage convient pour se déplacer dans la pièce, avoir une conversation ou regarder le téléviseur. Écrire, lire et travailler sur ordinateur sont des activités qui nécessitent, en revanche, un éclairage localisé ; ce sont alors les lampes à poser et les lampadaires qui conviennent le mieux. Il est également profitable d'investir dans des variateurs pour bénéficier d'un maximum de souplesse en matière d'éclairage ; ils permettent de modifier subtilement l'ambiance d'une pièce. On peut ainsi passer d'une forte et froide luminosité à une lumière douce et chaleureuse (les variateurs peuvent être raccordés aux plafonniers et aux lampes d'ambiance).

Page 49 D'une discrétion exemplaire, ce téléviseur logé dans le mur sait se faire oublier. Ses câbles sont dissimulés à l'arrière.

SONY

LA CUISINE & LA SALLE À MANGER

LA CUISINE &
LA SALLE
À MANGER

smeg

L'AGENCEMENT

La cuisine est avant tout une pièce fonctionnelle, consacrée à la préparation des repas. Pour beaucoup d'entre nous, cependant, les aliments ne constituent pas seulement une source d'énergie, et cuisiner est plutôt un passe-temps agréable qu'une corvée. Si vous vous trouvez souvent dans cette pièce, une fois que vous aurez agencé l'espace de manière aussi rationnelle que possible, consacrez-vous également à l'amélioration de son confort et de son atmosphère. En revanche, si vous cuisinez ou mangez rarement chez vous, aménager une cuisine classique représentera un gaspillage de temps et d'argent. Ce n'est pas non plus utile si l'espace est votre priorité.

Page 52 Un meuble de rangement à roulettes peut rendre une multitude de services. Dans cette petite cuisine mansardée, l'élément est extractible pour faciliter l'accès à son contenu, et il élargit le plan de travail. On peut le déplacer à volonté et le remettre en place après usage. Ici, chaque centimètre carré est exploité pour le rangement ; c'est le cas pour le range-bouteilles fixé sur l'avant-toit et pour la barre métallique servant à accrocher des ustensiles sous le Velux.

Dans ce cas, la meilleure solution consiste à construire un joli plan de travail en y intégrant les éléments indispensables : un évier, une plaque de cuisson, un réfrigérateur, et éventuellement un four à micro-ondes. Vous pourrez dissimuler ces équipements derrière un paravent dans un coin du séjour, ou éventuellement derrière une porte de placard dans un vestibule ou un couloir.

Si votre cuisine ne vous sert pas uniquement à réchauffer un croissant ou à faire bouillir de l'eau par exemple, et si elle doit être plus élaborée, son agencement exigera un peu plus de travail. Dans toutes les cuisines, quelle que soit leur taille, les trois équipements indispensables – évier, cuisinière et réfrigérateur – doivent être à portée de main les uns des autres, de manière à former un triangle. Le plan de travail et les espaces de rangement seront placés entre les sommets de ce triangle, et seront équipés de surfaces permettant de

Ci-dessus Des modules de rangement en bois, aussi esthétiques ouverts que fermés, couvrent l'intégralité du mur. Entourés d'appareils électroménagers, les éléments centraux servent de garde-manger.

Ci-dessous Les architectes du cabinet Litman Goddard Hogarth ont conçu un coin repas aux formes géométriques dans le séjour. La table repliée évoque une sculpture.

Ci-dessous à droite Le plateau articulé de la table se déplie à partir du mur.

À droite Lorsque la table est complètement dépliée, elle peut accueillir six personnes. Elle tire ainsi parti du couloir et compense le manque d'espace de la cuisine. Les chaises sont aisément empilables lorsqu'elles ne servent pas.

confectionner des plats et de poser le nécessaire. Vous prévoirez en outre des placards, des tiroirs, des étagères et des casiers, notamment pour pouvoir ranger les ingrédients, ainsi que les casseroles, les poêles et les ustensiles.

Avant d'aller acheter à l'aveuglette vos éléments et vos ustensiles, mieux vaut examiner la manière dont vous vivez et quels sont vos besoins réels ; c'est en fonction de cela que vous agencerez votre cuisine. Si vous travaillez toute la journée, n'avez le temps que d'acheter le strict nécessaire durant la semaine, et ne cuisinez que pour une ou deux personnes au maximum le soir, il faudra opter en priorité pour de grands espaces de rangement. En particulier, vous aurez besoin d'un réfrigérateur, d'un congélateur et d'un garde-manger spacieux. En revanche, si vous aimez cuisiner et recevoir, si vos amis

viennent souvent manger à l'improviste, et si vous avez le temps de faire les courses quotidiennement, vos besoins seront différents. Il vous faudra notamment un plus grand plan de travail, ainsi que des espaces de rangement supplémentaires pour les casseroles, les poêles, les plats de service et la vaisselle. Vous aurez également besoin de placards adéquats pour ranger les aliments. Certaines personnes préfèrent, en outre, que leurs amis restent avec elles dans la cuisine ; ainsi, elles ne se sentent pas seules quand les invités prennent tranquillement un verre dans le salon. Dans ce cas, il ne sera pas utile d'y installer une table et des chaises. Lorsque c'est possible, il est bienvenu d'aménager un coin repas dans la cuisine, car l'usage d'une pièce spécifique pour prendre ses repas est tombé en désuétude aujourd'hui. C'est dans la cuisine que l'on mange le plus souvent.

Si vous avez la chance de partir de zéro dans l'aménagement de votre appartement, vous pouvez choisir d'abattre une cloison pour réunir le salon-salle à manger et le coin cuisine ; vous pouvez aussi installer le salon et la chambre dans une même pièce, de façon à ce que la cuisine soit assez grande pour cuisiner, manger et recevoir vos amis. Si vous avez juste assez de place pour l'indispensable et qu'il est impossible de procéder à des modifications structurelles, cherchez des moyens d'ouvrir la cuisine sur le séjour. Si la cuisine donne sur un couloir, des doubles portes (ou l'absence de porte) ne feraient-elles pas paraître la pièce plus accessible et moins isolée ? Sinon – une idée qui semble de nouveau être à la mode –, est-il possible d'y installer un passe-plat ?

LES ESPACES DE RANGEMENT

Des meubles de cuisine unis, qui masquent les façades ou les boutons des appareils ménagers, confèrent à une pièce un aspect rationnel. Tous les objets sont dissimulés et rangés d'une manière efficace, rendant la pièce plus spacieuse. Dans la cuisine, plus que dans le reste de la maison, il importe que les éléments soient encastrés. Ainsi, tous vos appareils ménagers sont dissimulés et offrent l'apparence de placards. Les fabricants produisent aujourd'hui des meubles équipés de tous types de tiroirs, paniers, étagères et casiers que l'on tire, fait coulisser ou déplie. Que chaque objet soit à sa place a un effet apaisant, qui compense la disparition de l'atmosphère traditionnelle de la cuisine. Dans les cuisines minuscules, néanmoins, en particulier dans celles tout en longueur où les éléments sont disposés le long de deux murs parallèles, ou dans les cuisines en « U » où trois murs sont utilisés, ces meubles équipés n'ont pas suffisamment de place pour s'avérer réellement pratiques.

On peut aussi penser que l'intégration de tous les appareils derrière des placards donne un aspect impersonnel et froid à la cuisine. Demandez-vous, dans ce cas, si cette solution vous convient. Il est vrai que la cuisine est une pièce dans laquelle les sens ont une grande importance. L'odorat, le goût, le toucher et la vue ont tous un rôle à jouer lors de la préparation des repas. Vous souhaitez peut-être ainsi exposer des objets que vous aimez : un ensemble de récipients en terre cuite rapportés d'Espagne, des cuillères en bois posées dans un panier provençal, d'anciennes planches à pain découvertes dans des brocantes ou des barres supportant les ustensiles de cuisine

Ci-dessus Sur une estrade au coin de la pièce principale de ce duplex, conçu par Circus Architects, les meubles de cuisine, posés au sol et fixés au mur, sont munis de portes rouge vif. Un muret peu élevé, recouvert d'une plaque en granit noir, sert de comptoir pour le petit-déjeuner et permet aussi de séparer visuellement cette zone du reste de la pièce.

Page 57 Les portes des placards fermées, ce mur de la cuisine ressemble à un simple panneau de couleur vive avec, au centre, un compartiment en acier inoxydable. Divers appareils ménagers, dont un four à micro-ondes logé juste au-dessus du four traditionnel, sont dissimulés derrière les portes, et évitent ainsi d'encombrer visuellement la pièce.

Page 58 Cette cuisine composée d'éléments bas s'intègre sous un mur incliné, créé par la rampe d'un escalier. Formant à l'origine une longue pièce étroite, le coin repas et le coin cuisine sont désormais séparés par une cloison. Une large embrasure et une grande ouverture percées dans la cloison laissent pénétrer dans la pièce la lumière provenant du coin repas. Les appareils électroménagers blancs sont placés sous le plan de travail en hêtre et alignés sur des placards peints de même couleur. Un grand choix de marmites et de casseroles en acier inoxydable, et des ustensiles acquis au fil des années et suspendus à une barre, aisément accessibles, attirent le regard.

que vous avez accumulés au cours des années. Néanmoins, en dépit de leur charme, les cuisines qui ne sont pas ordonnées sont peu ergonomiques et seraient probablement vite irritantes pour une personne active vivant dans un petit espace. Un compromis alliant une esthétique moins rationnelle à l'organisation d'une cuisine moderne est sans doute la meilleure solution dans ce cas.

Des meubles bas posés le long des murs de la cuisine, pour ranger les appareils, les accessoires, les ustensiles et quelques provisions, et intégrant l'évier, vous permettront de conserver une certaine rationalité. Des étagères et des barres fixées au-dessus des plans de travail vous serviront à ranger les ustensiles que vous trouvez beaux, mais aussi que vous utilisez si régulièrement que la poussière n'a pas le temps de s'accumuler. Vous pouvez regrouper ces objets suivant leur couleur ou leur style. Exposez par exemple des assiettes et des plats rustiques aux couleurs riches et vives, comme l'ocre, le vert jade et le bleu indigo. Vous pouvez également disposer des assiettes plates élégantes ou des pichets blancs à côté de casseroles en acier inoxydable, d'un mortier ou d'un pilon en pierre, ou encore d'une rangée de livres de cuisine. Le fait d'avoir à portée de main et sous les yeux le matériel et les ustensiles utiles, qui seront rangés au-dessus du plan de travail afin de ne pas l'encombrer, est pratique et permet d'économiser du temps et des efforts.

Ci-dessous Une collection de porcelaines, de verres, de vaisselle et d'argenterie apporte une note chaleureuse lorsqu'elle est exposée sur les étagères d'un buffet dans le coin repas de la cuisine.

UTILISER LA COULEUR

Quel que soit le plaisir que nous avons à cuisiner, nous considérons rarement la cuisine comme un lieu où l'on peut se détendre. C'est néanmoins une pièce où l'on est actif, mais où l'on peut travailler à son rythme. Au début de la journée, nous aimons qu'elle soit lumineuse, spacieuse et stimulante ; que son ambiance nous soit agréable au réveil lorsque nous préparons le petit déjeuner tout en écoutant les nouvelles du jour. La préparation du repas du soir nécessite également un environnement lumineux, rationnel, bien organisé ; cependant, l'ambiance y sera plus animée. C'est l'heure à laquelle on pose à côté de soi un verre de vin et une assiette d'olives, tandis que l'on prépare l'entrée et le plat, en discutant avec ses amis ou son conjoint.

Le blanc est la couleur qui symbolise la sobriété et le naturel ; son utilisation, ici comme dans toutes les pièces, accroît l'impression d'espace. Les cuisines photographiées dans ce livre illustrent la tendance actuelle qui consiste à employer le blanc pour agrandir visuellement l'espace en l'appliquant sur toute la structure : murs, plafond, plinthes, encadrements de fenêtres, etc. Ici, les portes des meubles de cuisine et d'autres éléments ont été ornés d'aplats de couleurs vives. On emploie couramment des laques comme cet orange ou le jaune vif, ainsi que du bleu indigo, ou du rouge et du noir. Il s'agit de couleurs auxquelles vous pouvez vous fier ; elles conservent leur valeur même lorsqu'elles en côtoient d'autres et s'adaptent bien aux contours et aux structures nettes et géométriques des cuisines contemporaines. La couleur définit et délimite visuellement l'espace ; dans une pièce où

Page 61 à gauche
Les propriétaires de cet appartement ont opté pour des peintures laquées, rouges et noires, afin de créer une ambiance gaie dans cette minuscule cuisine. Conçu par les architectes de Granit, le comptoir courbe qui se prolonge jusqu'au mur, forme le principal plan de travail et enserre la cuisinière. Le four est dissimulé sous le comptoir, où sont aussi rangées vaisselle et casseroles. Toutes les surfaces verticales sont équipées d'étagères, de barres et de crochets pour ranger les ustensiles.

Page 61 à droite
Les placards, aussi peints en rouge, sont suffisamment profonds pour que l'on puisse installer entre eux un banc, qui supporte le téléviseur. Sur le mur contigu, des étagères présentent une collection originale, et masquent le radiateur. Le sol à damier et les surfaces rouges font paraître la pièce très colorée ; néanmoins, l'espace principal reste blanc.

Kit 'N Kaboodle

À gauche Dans cet appartement conçu par le cabinet Wells Mackereth, la teinte orange sépare effectivement, sur le plan visuel, cette cuisine tout en longueur et son comptoir, du reste du séjour. Des placards et des tiroirs en médium peint, des revêtements en acier inoxydable et des plans de travail en béton ont été assemblés pour créer une pièce contemporaine, organisée et colorée.

À droite Des tons vifs sont utilisés pour créer un décor rustique, afin d'apporter simplicité et chaleur à cette petite maison de campagne. Les bandes jaunes et bleues, crayeuses, contrastent joliment avec les bois naturels. Le piétement de la table, également peint en bleu, se fond dans le reste ; il n'accroche pas le regard dans cette cuisine-salle à manger au charme et délibérément dépareillé, conçue par The Works.

l'on prépare les repas et où l'on mange, elle peut servir à séparer le coin cuisine du coin repas et détente. En posant au-dessus des éléments bas des étagères apparentes, on allège davantage le décor que si l'on fixait au mur des placards assortis, car la couleur vive se situe alors en dessous de la hauteur du regard. En outre, ces étagères compensent l'impression d'encombrement causée par la présence d'ustensiles sur le plan de travail.

Il peut être également intéressant de concevoir sa cuisine en associant des matériaux contemporains résistants, comme l'acier inoxydable et l'aluminium brossé, avec des matériaux solides plus traditionnels, comme la pierre, le granit, l'ardoise et le marbre. Ces derniers matériaux forment d'excellentes surfaces, qui résistent à l'eau, à la graisse et aux lames de couteaux. Leur belle apparence naturelle ressort différemment en fonction des couleurs qu'on leur associe, qu'il s'agisse de coloris intenses, chics et voyants ou de teintes froides et pâles, plus classiques, appliquées sur du bois. En employant des matériaux différents pour les plans de travail et les revêtements, on délimite la zone consacrée à chacune des activités. Les matériaux mentionnés ci-dessus constituent un bon choix pour les surfaces que l'on utilise fréquemment. Le bois vernis, ciré ou teinté convient partout ailleurs dans la pièce.

GAGNER DE LA PLACE Lorsque vous avez arrêté votre choix – cuisine complètement aménagée ou cuisine semi-aménagée –, et opté pour des murs et un plafond pâles (ou blancs), vous pouvez accroître le côté fonctionnel de cette pièce en organisant rigoureusement les espaces de rangement. Toutefois, avant de tenter de trouver les éléments qui conviennent, recensez tous les objets de votre cuisine. Montrez-vous impitoyable et débarrassez-vous des accessoires, de la vaisselle et de tout ce dont vous ne vous servez jamais. Déterminez ce dont vous avez réellement besoin. Est-il vraiment indispensable de posséder un service de vaisselle et de verres pour tous les jours et un autre pour recevoir ? La vaisselle peut, tout comme les meubles, avoir une double utilité. Choisissez des récipients qui conviennent, par exemple, à la préparation des gâteaux et des salades, et des plats à la fois jolis et pratiques pouvant servir dans le four, dans le congélateur et sur la table.

Les meubles de rangement qui coulissent sur des glissières tendent à être plus utiles dans les petits espaces : en les ouvrant, on aperçoit tout leur contenu. On peut y installer des casiers, des plateaux et des étagères pour tout ranger, des paquets de céréales aux casseroles. Les meubles dotés de roulettes peuvent être sortis, de manière à ce que l'on puisse accéder facilement à leur contenu, et être déplacés suivant les besoins dans la cuisine. Si vous préférez les portes et les étagères classiques, modifiez-les pour les adapter à votre convenance. Vous pouvez par exemple ôter les étagères centrales et les remplacer par des séries de paniers montés sur glissières. N'encombrez pas les plans de travail et suspendez une barre sur le mur pour les ustensiles. Si vous pouvez sacrifier une partie de la profondeur du plan de travail, optez pour des placards muraux simplement posés sur celui-ci, afin d'y ranger les ustensiles lourds, difficiles à soulever à partir des meubles bas (si possible, installez des surfaces de travail coulissantes sous les plans existants). Optez pour des appareils comme les lave-vaisselle en version compacte et les fours que l'on peut encastrer dans des éléments muraux ou bas.

Page 64 à gauche Dans cette cuisine, il y a juste assez de place pour une table et des chaises. Le couloir situé juste derrière accroît l'impression d'espace et éclaire la pièce tout comme les matériaux utilisés.

Page 64 à droite Cette pièce haute et étroite, dont un côté est consacré à la préparation et au rangement, exploite le mur vertical d'une manière rationnelle. La lumière naturelle éclaire plan de travail et évier.

Ci-dessus La pièce principale est séparée de l'espace cuisine-salle à manger par un mur à moitié vitré. Chaises et banc aménagé le long de la table sont installés dans un coin pour gagner de la place.

EXPOSER LES OBJETS La batterie de cuisine peut être très esthétique lorsqu'on l'expose, si l'on fait preuve d'un peu d'imagination. Certains objets ont beaucoup de charme, comme les bocaux remplis de sucre brun, de gros raisins de Smyrne ou de différentes sortes de pâtes ou de riz ; en les alignant, on obtiendra un bel effet. Une pile haute et légèrement penchée de saladiers et d'épaisses poteries toscanes aura également son charme. L'important est de faire preuve d'esprit critique lorsque l'on choisit les objets que l'on va exposer sur des étagères : les tubes de purée de tomates à demi entamés ou les sachets de farine déjà ouverts n'ont rien d'esthétique. Les étagères surmontant le plan de travail devront être ornées d'objets décoratifs que vous utilisez régulièrement (mais ne posez pas d'aliments juste au-dessus des éléments susceptibles de produire de la vapeur d'eau, comme les éviers et les cuisinières).

Ci-dessus La juxtaposition de casseroles, de poêles et de passoires en acier inoxydable sur des étagères en bois s'avère à la fois esthétique et pratique. Des lampes fluorescentes éclairent le plan de travail situé au-dessous.

En revanche, vous pouvez vous servir d'une étagère peu accessible, située au-dessus d'une fenêtre ou d'une porte, pour exposer une collection de cruches et de plats spéciaux que vous n'utilisez qu'occasionnellement. Le fait d'installer des étagères devant une fenêtre s'oppose généralement au principe (et à l'instinct naturel) qui veut qu'on laisse pénétrer dans la pièce autant de lumière que possible. Cependant, lorsque vous manquez de place et que la vue n'est pas très belle, une rangée de casseroles étincelantes se détachant sur fond de ciel peut être un compromis envisageable. Les étagères métalliques grillagées sont aussi très pratiques. Faciles à poser, elles ont une esthétique industrielle qui convient autant à un décor minimaliste que traditionnel.

Ci-contre Obstruer les sources de lumière naturelle est une solution généralement proscrite par les architectes. Ici, cependant, comme l'on ne dispose que d'espaces de rangement très étroits, comme la vue est insignifiante, et comme la pièce dispose d'une autre source de lumière, on a installé des étagères devant les fenêtres. Elles permettent d'équilibrer la structure tout en longueur des éléments de cuisine, et font oublier que les deux fenêtres ne sont pas de la même taille.

En outre, elles laissent passer la lumière, ce qui est important lorsqu'elles sont placées au-dessus de la surface de travail. Les égouttoirs suspendus sont également utiles. Fixés au plafond et constitués de différentes sortes de métal et de bois (ou d'une combinaison des deux), ils exploitent l'espace vertical situé au-dessus de votre tête et offrent des solutions de rangement variées. Les paniers métalliques remplis de légumes colorés comme les poivrons, les crochets auxquels on suspend des chapelets d'oignons, les bouquets d'herbes odorantes et les guirlandes de piments rouges accrochées en l'air, ainsi que les fouets, les passoires et les casseroles, transforment une cuisine fonctionnelle en une ravissante cuisine et exploitent un espace qui, sinon, resterait inoccupé.

D'autres types de rangement, comme les porte-assiettes en métal ou en bois, peuvent aussi faire office d'étagères pratiques tout en étant, par ailleurs, décoratifs. Un porte-assiette placé au-dessus de l'évier remplacera un égouttoir. Lorsqu'il est situé au-dessus d'une plaque ou d'une cuisinière, les assiettes et les plats sont chauffés et restent accessibles. Les barres munies de crochets sont tout aussi utiles pour exposer la batterie de cuisine, et permettent d'avoir un accès facile aux ustensiles tout en étant très décoratives.

Page 68 Les étagères métalliques, situées au-dessus du plan de travail en acier de cette cuisine, permettent d'empiler la vaisselle, de la glisser dans les interstices ou de la suspendre. Une fois lavés, on peut laisser les assiettes et les verres s'égoutter, afin de ne pas encombrer le plan de travail.

Ci-contre en haut Si vous devez placer des étagères devant une fenêtre, celles qui sont en métal ont l'avantage de laisser passer autant de lumière que possible.

Ci-contre en bas Cette étagère ancienne en bois, peinte de la même couleur que les murs, supporte une précieuse collection d'ustensiles de cuisine, avec des chapelets de piments et d'ail. Elle est fixée au mur, à proximité du four et de la cuisinière. Un range-couteaux métallique est posé juste au-dessous.

LA CHAMBRE

LA CHAMBRE

Ci-dessus Dans cet appartement, conçu par le cabinet Littman Goddard Hogarth, une petite pièce contiguë au living sert à la fois de chambre d'amis et de bureau. Un panneau peint de la même couleur que les murs a été posé sur l'envers d'un lit double escamotable, afin de le soustraire à la vue lorsqu'il n'est pas utilisé.

Au centre Des charnières situées à la tête du lit permettent de tirer ce dernier sans effort. Des sangles enserrent le matelas, retenant ainsi la literie.

À droite Une fois déplié, le lit est aussi confortable qu'un lit classique. Logée dans le placard qui forme une table de chevet pratique, la tête du lit offre une protection agréable. Sur l'autre mur de la pièce, une porte en verre gravé coulissante préserve l'intimité du lieu, tout en laissant passer la lumière.

L'AGENCEMENT

Pour certaines personnes, la chambre est un havre de paix, un refuge tranquille où se retirer à la fin de la journée. Pour d'autres, elle gaspille un espace précieux. Certes, lorsque l'on manque de place, en consacrer une grande partie à une pièce qui ne sert que la nuit peut sembler inconsidéré. Mais il existe une contrepartie positive : les chambres peuvent souvent être installées dans des pièces peu commodes, auxquelles on pourrait difficilement attribuer d'autres fonctions. Les mansardes en sont un bon exemple, car elles ont déjà traditionnellement servi de chambres. Les pièces dans lesquelles la lumière naturelle pénètre difficilement – par exemple celles qui donnent sur une cour étroite, ou celles qui se situent dans un sous-sol ou au rez-de-chaussée avec vue sur la rue – conviennent aussi à l'aménagement d'une chambre. Si cela ne vous dérange pas de ne pas sentir la lumière du soleil sur votre visage lorsque vous vous réveillez, et si vous supportez que votre chambre se trouve au-dessous plutôt qu'au-dessus de l'endroit où vous vivez, cuisinez et mangez, les exemples précédents peuvent constituer un choix parfait.

Dans de nombreux logements de petite taille, la chambre peut jouer deux rôles. Elle servira parfois de bureau, si vous travaillez chez vous. Si votre appartement est très petit, la chambre pourra même être intégrée au séjour ou, dans une maison familiale, être la pièce où l'on écoute de la musique, regarde le téléviseur ou utilise l'ordinateur. Dans ce type d'appartements, où le fait d'installer un lit apparent n'est guère conciliable avec les différentes activités qui se

À droite Ce studio se compose d'un séjour au décor très élégant. L'escalier simple, dépourvu de contre-marches, conduit à une mezzanine surélevée, assez spacieuse pour accueillir au minimum un lit et d'autres meubles. Celle-ci court sur toute la largeur du plafond. Dessous se trouvent une minuscule cuisine et une salle de douche, dissimulées par des rideaux de coton blanc. Les autres éléments, comme la cheminée décorée en marbre noir, le fauteuil à dossier haut et la table ronde donnent à l'ensemble des proportions généreuses. Les tons neutres des matériaux naturels employés pour le mobilier et le plancher renforcent la sobriété et le dépouillement de la pièce.

déroulent dans la pièce, il existe diverses possibilités. Les lits que l'on peut rabattre contre un mur sont peu encombrants et pratiques : inutile d'ôter la literie et ils semblent simplement faire partie des murs. On peut aussi les dissimuler à l'aide de divers types de cloisons, comme des portes coulissantes ou des stores vénitiens. Les meubles de rangement – étagères, placards, tiroirs et penderies – peuvent aussi être disposés autour du lit afin d'économiser l'espace mural. Le principal avantage des lits escamotables, à l'inverse des canapés-lits et des futons, est que l'on peut rapidement les faire disparaître le matin et les déplier le soir ; ils sont prêts à l'usage. En outre, l'espace qui serait autrement dévolu à un lit peut accueillir un autre meuble une fois le lit relevé. Tout meuble utilisé à cet endroit devra être léger et facile à déplacer, ou posé sur des roulettes, afin que vous puissiez le changer de place sans peine le soir lorsque vous rentrez tard, ou le matin lorsque vous êtes pressé.

Une autre solution consiste à installer une mezzanine ou une loggia, permettant non pas de masquer complètement le lit mais de le surélever. En créant ainsi un niveau supplémentaire dans une pièce, celle-ci gagne une certaine esthétique et beaucoup d'intérêt, que le style en soit minimaliste, contemporain ou traditionnel. Lorsque l'on dispose d'une grande hauteur sous plafond permettant d'installer une vaste mezzanine ou une loggia spacieuse, on peut aménager sous celles-ci une pièce fermée, comme une salle de bains, ou bien un salon non cloisonné, dont l'ambiance paraîtra ainsi plus confortable et plus intime. Même les pièces dont les plafonds ne sont pas très hauts

peuvent parfois accueillir une petite galerie, sous laquelle il y aura suffisamment de place pour aménager des étagères ou des placards.

Pour procéder à d'importantes modifications structurelles, comme l'installation d'une mezzanine, mieux vaut avoir recours aux conseils d'un professionnel. Cependant, vous pouvez concevoir vous-même, avec l'aide d'un menuisier, une mezzanine sous laquelle vous installerez des éléments de rangement. Assurez-vous, néanmoins, que le sol peut supporter son poids. L'escalier qui permet d'accéder au lit peut avoir une certaine esthétique, tout comme la plate-forme ; il peut aussi jouer un rôle architectural dans une pièce, notamment si celle-ci est un espace ouvert. C'est le cas des escaliers en spirale, qui sont en outre beaucoup moins encombrants que les escaliers classiques.

Avant de choisir les meubles de votre chambre, déterminez au préalable si votre lit se trouvera sur une mezzanine, qu'il soit situé dans un espace ouvert ou réservé au sommeil. Vous vous intéresserez ensuite aux rangements. Les lits simples sont faciles à disposer : c'est le long des murs ou centrés sous les fenêtres qu'ils sont le plus mis en valeur. Les lits doubles ou de très grande taille, en revanche, risquent d'occuper la majeure partie de l'espace dans les petites chambres, et de trop attirer l'attention. Comme c'est au lit que l'on passe le plus clair de son temps dans une chambre, le manque d'espace ne devrait pas nécessairement poser problème. En réalité, la sensation de confort et d'intimité peut même s'en trouver augmentée. Une fois que vous avez accepté l'idée que votre lit peut occuper l'essentiel de la pièce, faites en sorte, justement,

Page 76 Cette chambre située en sous-sol reçoit la lumière des autres pièces de l'appartement à travers des panneaux de verre gravé. La descente d'escalier de couleur vive, structure l'espace et forme un écran entre le lit et la porte.

Ci-dessus Dans cette minuscule chambre, le lit s'appuie contre la cloison basse surmontée d'un Velux. Il comporte dans son socle des espaces de rangement, fermés par des panneaux que l'on ouvre sur le côté ou à son pied.

d'exagérer le caractère minuscule de celle-ci, tout en exprimant votre style personnel. Optez par exemple pour un magnifique lit ancien en bois d'acajou sculpté ou en laiton, ou pour les lignes audacieuses et géométriques d'un lit à baldaquin moderne.

Les espaces de rangement de la chambre doivent faire l'objet d'une organisation méticuleuse. En effet, il s'agit d'une pièce susceptible d'accumuler un désordre indescriptible capable de la faire paraître encore plus petite. Les vêtements, les chaussures et les accessoires doivent être empilés ou suspendus de manière à pouvoir être rangés ou sortis facilement. Des placards encastrés qui dissimulent vos effets personnels derrière des portes coulissantes, plutôt que des portes classiques, représentent la solution la plus pratique pour les très petits espaces ; ils permettent de maintenir une pièce en ordre lorsque le lit prend beaucoup de place. En revanche, s'il n'y a pas même la place d'installer ce type de placards, sachez que vous n'êtes pas obligé de ranger vos vêtements dans la chambre, ce qui est une solution purement conventionnelle : il peut être alors plus raisonnable d'aménager une penderie dans un autre endroit.

Photo de gauche Pour cette jolie chambre contemporaine d'un appartement situé en ville, le cabinet Circus Architects a conçu un lit bas qui semble flotter au-dessus du sol. Les étagères basses placées de part et d'autre du lit – tandis que d'autres rangements sont prévus dans le dressing contigu et la salle de bains – ainsi que les murs blancs et la literie laissent glisser le regard jusqu'à un pôle d'attraction unique : le gratte-ciel que l'on voit par la fenêtre.

Ci-contre Des piliers architecturaux forment une tête de lit de la hauteur du plafond et encadrent une ouverture de verre gravé. Lorsque celle-ci est fermée, la lumière provenant de l'espace situé derrière, filtre à travers le verre.

GAGNER DE LA PLACE On peut tirer avantage du fait qu'un lit soit encombrant en exploitant l'espace qui l'entoure ou situé dessous. Les canapés-lits dont le socle peut servir d'espace de rangement sont courants ; ils possèdent souvent un tiroir peu profond qui coulisse, et dans lequel on peut déposer des vêtements pliés ou du linge de lit. Si vous disposez de très peu d'espace et souhaitez utiliser toute la longueur du tiroir, vérifiez, en le tirant complètement, que vous n'êtes pas gêné par un autre meuble.

Une plate-forme construite sous un lit peut vous donner envie de créer vous-même des rangements sur mesure suivant vos besoins. Vous pouvez ainsi utiliser des boîtes garnies de compartiments pour ranger les chaussures, des étagères pour entreposer des piles de chemises, et des tiroirs pour vos sous-vêtements et vos accessoires. Les espaces situés à la tête et au pied d'un lit peuvent aussi servir à ranger des objets. Au lieu d'utiliser des tables de nuit où vous ne pouvez poser qu'une lampe, un livre et un verre d'eau, choisissez un meuble de plus grande contenance, tel qu'un meuble à tiroirs ou une petite commode.

Une autre solution consiste à créer une tête de lit assez large, excédant la largeur du lit, pour servir d'étagère, tandis que des meubles, des luminaires ou des tablettes fixés au mur – sans totalement le recouvrir – donneront une illusion d'espace. Les miroirs, lorsqu'on les installe sur tout ou partie d'un mur ou d'une porte de placard, permettent aussi d'agrandir l'espace et d'accroître la luminosité d'une manière astucieuse.

Page 80 On accède à cette chambre située sous les combles, conçue par le cabinet Granit, à l'aide d'un escalier en spirale. Tout comme celui-ci, le muret situé en haut et la cabine de douche installée sous le versant du toit sont courbes. Un placard situé sous le toit en suit l'inclinaison, évitant ainsi de créer une rupture.

Ci-dessous Toute la largeur de la pièce est conservée, le plancher en chêne étant posé jusqu'à la jonction entre le toit et le sol. Le mur situé à la tête du lit est prolongé par deux niches abritant des lampes de chevet. Le lit-bateau est l'unique meuble de la pièce.

UTILISER LA COULEUR

Pour beaucoup d'entre nous, la chambre est un lieu de détente : son atmosphère doit donc être apaisante, douillette et agréable. D'autres personnes, en revanche, préfèrent une ambiance stimulante, propice à un réveil tonique. Quel que soit votre tempérament, il faut cependant tenir compte, au préalable, de certains éléments. Généralement, notre chambre est éclairée le matin par la lumière naturelle et le soir par la lumière artificielle : choisissez donc la couleur en fonction de ces deux heures de la journée. En effet, certaines teintes, comme les verts et les jaunes, sont considérablement modifiées par la lumière artificielle, qui réchauffe les couleurs. L'orange, par exemple, est une couleur très chaude qui peut paraître beaucoup trop forte pour un petit espace. Si vous souhaitez que la pièce paraisse aussi vaste que possible, utilisez sur toutes les surfaces du blanc, des teintes neutres ou différentes nuances d'une même couleur, dans des tons pâles à moyens (pour cela, mélangez une certaine quantité de blanc au ton le plus foncé choisi). Le choix d'une même teinte ou de teintes similaires pour les murs, le plancher, les rideaux et les stores confère une certaine uniformité à la pièce, sans créer de rupture.

En revanche, si vous ne souhaitez pas accorder la primauté à l'intimité de la pièce, les couleurs sombres et brillantes peuvent rehausser l'atmosphère. Sachez également que la couleur peut attirer l'attention sur une zone particulière, égayer une pièce dépourvue de particularités architecturales, ou faire oublier une vue dénuée d'intérêt.

Photo centrale Le styliste Ben De Lisi a délimité à l'aide de couleurs sa minuscule chambre et sa salle de bains, en mélangeant des teintes neutres couleur terre avec du blanc et du noir. Le blanc fait paraître le plafond plus haut et est également utilisé, conjointement à un mur noir comportant un miroir, pour la cloison séparant la chambre de la salle de bains.

Photo de droite Un mur orné d'un miroir reflète la lumière du plafond, et la moquette couleur mastic au sol accroît l'impression d'espace. Reflétés par le miroir, les cubes de rangement faits sur mesure paraissent deux fois plus nombreux. À la tête du lit se trouvent des placards atteignant le plafond, ainsi que des lampes de chevet et une petite niche rectangulaire.

Page 84 en haut Sans se laisser décourager par les petites dimensions de cette chambre, son propriétaire a utilisé, pour les murs et le sol, des tons neutres et du blanc, afin de donner une impression d'espace ; il a disposé de grands meubles et des objets décoratifs. L'imposante cheminée en marbre, ornée de tableaux et de chandeliers, renforce l'attrait de la pièce.

Page 84 en bas Une série de photographies attire le regard vers la fenêtre et l'espace lumineux situé derrière. La profondeur de l'appui de la fenêtre est accrue grâce à la réalisation d'un coffrage pour le radiateur, dont le dessus sert d'étagère. La grande peinture à l'huile du couloir menant à la chambre présente des tons plus pâles que le mur sur lequel elle est accrochée, on a ainsi l'illusion d'un espace plus grand.

IDÉES DÉCO

Pour les personnes très méticuleuses, il est possible, tout en ordonnant les éléments, de créer des décors originaux. Ainsi, des rangées symétriques de vestes, de pantalons, de jupes et de robes, des étagères ornées de piles de chemises fraîchement repassées, et des rangées de chaussures disposées sous les vêtements formeront un motif coloré le long de l'un des murs de votre chambre. Vous pouvez également grouper tous les objets que vous souhaitez exposer, afin qu'ils fassent davantage d'effet. Les livres, les tableaux, les cadres de photographies, lorsqu'ils sont rassemblés, ont plus d'impact, et sont mieux mis en valeur. Les objets posés sur des étagères, et derrière lesquels sont placés des miroirs, paraissent avoir des contours plus précis et ressortent davantage.

Au lieu d'occuper l'espace au sol, utilisez les murs, notamment les endroits situés en hauteur, pour y installer des décors. Ainsi, le dessus des placards constitue un excellent emplacement pour disposer des objets de grande dimension ou de forme originale, comme des vases, des jarres, d'anciennes valises en cuir et des boîtes particulières, comme les boîtes rondes à chapeaux (où l'on peut aussi ranger beaucoup de choses). Les étagères aux dimensions étroites, fixées au niveau d'une cimaise, au-dessus de l'épaule ou à hauteur de la tête, et sur lesquelles on exposera également des objets de formes complexes ou simplement circulaires, créeront des centres d'intérêt surélevés et feront paraître la pièce plus haute qu'elle n'est. Une pièce bien rangée et bien ordonnée paraît plus vaste ; si vous n'êtes pas naturellement ordonné, mieux vaut tout dissimuler.

LA SALLE DE BAINS

LA SALLE
DE BAINS

L'AGENCEMENT

On admet généralement qu'une salle de bains ne soit pas très grande. C'est bien souvent la pièce à laquelle on accorde le moins d'attention, et que l'on aménage dans un endroit dépourvu de fenêtres, trop petit pour servir à autre chose. Il faut concevoir avec soin l'agencement d'une salle de bains, non seulement pour s'assurer que tout rentrera, mais aussi que l'on pourra y circuler facilement. Pour vous faciliter la tâche, les fabricants de sanitaires proposent souvent des catalogues comportant des plans quadrillés et des patrons prédécoupés représentant les différents éléments de l'équipement. Si la salle de bains est très petite, il est possible que l'on ne puisse en disposer les éléments que d'une seule et unique manière. La solution la moins onéreuse et la plus simple consiste à placer les équipements sanitaires le plus près possible des arrivées ou des évacuations d'eau correspondantes. Cependant, économiser sur la plomberie ne sera pas très profitable si vous devez procéder à des modifications ultérieurement.

Les décorateurs de salles de bains se plaignent souvent du fait que les équipements sanitaires à colonnes occupent trop d'espace. Les modèles muraux font en revanche paraître les salles de bains plus grandes, et peuvent être installés à la hauteur souhaitée. Les robinets fixés dans le mur économisent également de la place.

Dans les espaces réduits, les motifs de couleur originaux, qui s'avéreraient déplacés dans les grandes pièces, peuvent être tolérés. Dans les très petites salles de bains, les surfaces doivent résister à l'humidité, ce qui ne doit pas restreindre votre choix en matière de style.

Page 88 Des carreaux en céramique blancs, immaculés et rafraîchissants, agrandissent l'espace. Le lavabo mural est à demi encastré dans une étagère carrelée, qui vient s'aligner sur le plan de verre opaque et évite ainsi de rompre la pureté des lignes.

Au centre Le réservoir de la chasse d'eau et la plomberie de ce W.-C. ont été soigneusement dissimulés par un coffrage ; ce dernier, dont le dessus fait office d'étagère, a été carrelé de la même manière que le mur. Les couleurs pâles donnent toujours à une pièce une impression de grandeur.

À droite Cette cabine de douche et ces toilettes, conçues par le cabinet Wells Mackereth, sont épurées dans tous les sens du terme. Dans le mur, des niches contiennent d'un côté les rouleaux de papier toilette et, de l'autre, un miroir. Les accessoires sont également encastrés. Des portes coulissantes en verre gravé laissent passer la lumière, et des mosaïques couleur mastic confèrent élégance et clarté à la pièce.

Ci-dessous Cette cabine de douche est fermée par des panneaux de verre fixes et des portes coulissantes qui en facilitent l'accès et la rendent lumineuse. Les mosaïques créent une ambiance aquatique.

À droite Dans cette salle de bains qui reçoit la lumière naturelle, des briques de verre ont été utilisées pour les murs et la cabine de douche. Les grands miroirs et les mosaïques renforcent l'impression d'espace.

LA DOUCHE Stimulante et tonifiante, la douche dynamise pour la journée. Si vous n'avez pas assez de place pour une baignoire, il est toujours possible de carreler les murs et le sol et d'installer un dispositif d'écoulement. Vous pouvez aussi encastrer partiellement dans le sol un bac de douche peu profond. Dotée d'une paroi en verre gravé ou en briques de verre, la cabine de douche paraîtra moins étroite car elle sera éclairée de l'extérieur. En outre, les parois protégeront les autres éléments des éclaboussures. Les canalisations d'eau chaude placées sous les carreaux du sol permettront de chauffer et de sécher la cabine.

Si vous avez suffisamment de place pour réaliser une cabine de douche cloisonnée, vous pouvez en concevoir vous-même les parois. Le verre trempé, mention Securit, est idéal ; vous pouvez aussi opter pour le verre gravé ou les panneaux composés de briques de verre. Si votre douche est logée dans une alcôve carrelée, libre à vous de vous contenter de la fermer à l'aide d'un rideau posé sur une glissière. Les portes de douche, qu'elles soient équipées de charnières ou qu'elles soient pivotantes, sont souvent fixées d'un côté ou de l'autre. Les portes coulissantes, composées de deux panneaux (ou plus) qui se chevauchent lorsqu'on les ouvre, sont peu encombrantes. Il existe également des portes coulissantes qui se replient en zigzag. Les bacs de douche peuvent être en acier, en céramique ou en matériaux composites (plus économiques) ; leurs tailles et leurs formes sont variées. Les modèles d'angle sont souvent triangulaires, pour mieux s'adapter à leur emplacement (on trouve également, pour ceux-ci, des portes et des panneaux).

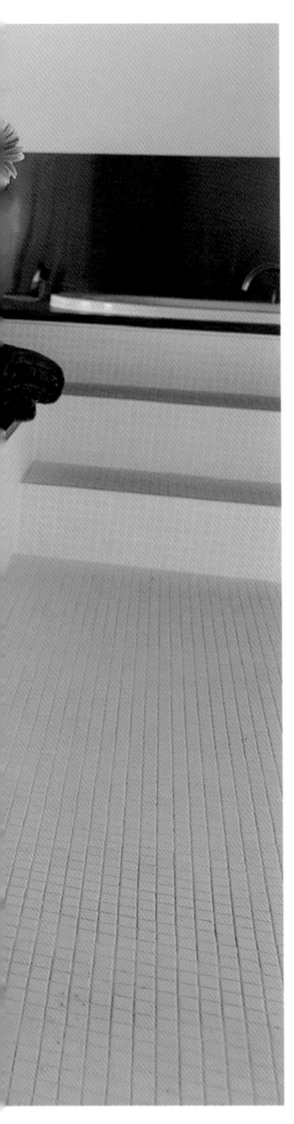

Page 94 Dans cette minuscule salle de bains, les architectes sont parvenus à trouver juste assez de place pour une baignoire, installée dans un espace de la taille d'un placard. La robinetterie est encastrée dans le mur carrelé d'un côté, et une étagère en marbre située sous la fenêtre donne sur la cour de l'immeuble.

Ci-contre Ici, on a réussi un autre tour de « passe-passe » en encastrant la baignoire dans le sol d'une mezzanine. En fait, celle-ci est intégrée à une estrade surélevée qui la rend ainsi invisible. On y accède par quelques marches. Sous la balustrade, le couvercle de la banquette en noyer se soulève, révélant un espace de rangement pour les serviettes, les articles de toilette, etc.

LA BAIGNOIRE

Pour certaines personnes, les effets vivifiants d'une douche ne remplaceront jamais le rituel du bain ; elles s'efforcent donc d'installer une baignoire à tout prix, même dans la plus petite des salles de bains. Bien sûr, il est toujours possible d'installer une pomme et des accessoires de douche à une extrémité de sa baignoire ; cependant, même si une pomme fixée sur la robinetterie peut être utile pour se laver les cheveux, elle ne remplacera jamais une vraie douche. Néanmoins, il existe aujourd'hui des baignoires conçues spécialement pour se doucher. Elles sont plus larges à l'une de leurs extrémités et leur paroi n'est pas inclinée à cet endroit, de sorte que vous pouvez vous placer tout près du bord. Dans une petite salle de bains, cela semble être le meilleur compromis.

Il existe des pare-douches qui atteignent la longueur d'une baignoire, permettant ainsi d'éviter les éclaboussures. Les baignoires classiques mesurent 1,70 m sur 71 cm ; l'espace libre au sol doit avoir au minimum les mêmes dimensions, afin que l'on puisse circuler facilement. La plupart des fabricants d'équipements sanitaires proposent des baignoires de différentes tailles, les plus petites pouvant atteindre 1 m^2. Cependant, même si elles sont relativement profondes, ces dernières ne sont guère satisfaisantes : avoir de l'eau jusqu'à la taille peut être acceptable dans un hôtel étranger, mais vous détendra peu après une journée de travail.

LE LAVABO

Il existe une grande variété de tailles et de modèles de lavabos. Cependant, dans une salle de bains étroite, un modèle posé sur une colonne s'avérera encombrant et peu hygiénique, et un lavabo à support mural sera plus adapté. Les très petits modèles, souvent utilisés dans les toilettes, peuvent être placés dans un angle ou fixés à un mur, mais ne peuvent servir qu'à se laver les mains. Toutefois, on trouve aussi des modèles d'angle d'assez grandes dimensions, dotés d'un plan de toilette suffisamment large pour y encastrer la robinetterie. On peut aussi se procurer des modèles de designers comme Philippe Starck, qui a imaginé un lavabo de dimensions modestes mais possédant, à l'arrière, un plan assez large pour poser des articles de toilette. Les lavabos à support mural présentent un certain nombre d'avantages : ils peuvent être placés à une hauteur convenant à toute la famille et on peut y adapter un cache pour dissimuler la plomberie. On trouve souvent en outre des accessoires assortis à la robinetterie, comme des vidages métalliques, plus esthétiques que les modèles traditionnels en plastique. Il existe également des lavabos semi-encastrés (dont la partie postérieure repose sur un meuble ou une étagère fixés dans le mur) ou des meubles-lavabos, avec une vasque aérienne ou encastrée. Ces derniers peuvent être suffisamment volumineux pour ranger des articles de toilette et des produits ménagers. Bien qu'un meuble-lavabo intégré à un autre meuble puisse paraître encombrant, ou le soit réellement, les possibilités de rangement peuvent compenser cet inconvénient.

Ci-dessus La plomberie est dissimulée derrière des panneaux de bois peint. La robinetterie est encastrée dans le mur au-dessus du lavabo, libérant ainsi le rebord.

À droite Une fenêtre étroite ornée de verre teinté laisse passer la lumière provenant d'un hall d'entrée, illuminant ainsi le lavabo en acier inoxydable. Le large plan de toilette et le sèche-serviettes permettent un gain de place maximal.

Ci-dessous Situé dans un renfoncement, ce lavabo est encastré dans un très petit meuble et son rebord est juste assez large pour accueillir la robinetterie. Lorsqu'il n'est pas utilisé, on peut le dissimuler derrière une porte pliante incluant des rangements.

Ci-dessus Ce lavabo d'angle, dont la vasque est encastrée, possède un élégant mélangeur composé d'un bec et de deux manettes en chrome. Deux valves laissent l'eau se mélanger juste avant qu'elle ne s'écoule du bec central.

À gauche Le mitigeur, doté d'un grand bec encastré dans le plan qui entoure le lavabo, et placé sur le côté, permet une utilisation optimale de l'espace. Le placard mural, doté d'un miroir, possède des étagères accessibles. Au-dessous, un grand espace de rangement est masqué par une double porte.

Ci-dessus Cette vasque lisse en acier inoxydable se rapproche du style laboratoire, convenant tout à fait à un petit espace. Le sèche-serviettes chauffant est articulé, ce qui en facilite l'utilisation.

Ci-dessous La sensation d'espace est accrue par les portes à miroirs des placards, et par les niches cubiques servant d'espaces de rangement aménagées dans le mur recouvert d'une mosaïque couleur mastic. Cette mosaïque accentue les lignes du lavabo et de la robinetterie à fixation murale.

LA ROBINETTERIE

Les baignoires et les lavabos ne sont pas toujours percés de trous destinés à la robinetterie, ce qui vous permet d'installer celle-ci dans le mur ou sur le plan de toilette. Ainsi, la surface où se trouvent habituellement les robinets reste libre et donc plus facile à nettoyer. Vous pouvez également poser la robinetterie au centre plutôt qu'à l'extrémité d'une baignoire, ce qui permet d'économiser de la place. La baignoire pourra ainsi être installée dans une alcôve et accueillir de chaque côté des placards de la hauteur du plafond, ou des étagères. Des innovations technologiques ont également permis de créer des accessoires aux lignes épurées, dont la plomberie n'est pas apparente et n'accroche pas le regard.

Les robinets plus petits sont intégrés au mur ou aux plans de toilette des baignoires ou des lavabos, ils se fondent également dans le décor, préservant la fluidité de l'espace. Les mitigeurs pour lavabos ou baignoires, dotés d'un levier unique, sont aussi moins encombrants que les robinets classiques et s'assortissent souvent de vidages. C'est le designer Philippe Starck qui a conçu l'un des modèles de mitigeurs les plus épurés, la pompe « 10010 ». Ce dernier, avec sa poignée légèrement courbe, est l'archétype des mitigeurs. Il existe également des modèles pour baignoires d'une extrême sobriété, ne formant qu'un cercle chromé sur leur surface d'installation.

Si votre décor est épuré, par exemple dans une salle de douche entièrement carrelée, la robinetterie en sera l'élément le plus visible ; efforcez-vous donc de la choisir de la meilleure qualité possible.

LES TOILETTES

Les toilettes à l'ancienne, dont la cuvette et la chasse d'eau sont séparées par une canalisation, constitueraient un choix bien désuet pour une petite salle de bains. Le bon sens consiste à choisir des sanitaires aussi peu encombrants que possible, afin de disposer d'un maximum d'espace libre pour d'éventuels rangements. La pièce paraîtra également plus grande si l'on y installe des miroirs et des panneaux de verre translucides laissant passer la lumière. Il est recommandé d'utiliser des toilettes modernes, avec un système de chasse d'eau à siphon. Elles sont plus silencieuses et plus efficaces.

Les toilettes à support mural, tout en vous permettant de dissimuler une chasse d'eau séparée en plastique derrière une cloison, sont bien moins encombrantes. N'oubliez pas que le dessus du réservoir doit se situer au minimum à 80 cm au-dessus du sol, afin que la chasse d'eau puisse fonctionner correctement. Dans la cloison qui a servi à dissimuler la chasse d'eau, on peut aussi encastrer d'autres équipements sanitaires, comme les lavabos, les bidets et des accessoires comme les porte-serviettes. Le dessus de la cloison pourra en outre servir d'étagère ; vous pourrez ainsi y poser vos articles de toilette.

Vous pouvez également confectionner un coffrage pour la chasse d'eau, qui pourra faire office d'espace de rangement supplémentaire s'il est garni d'étagères. Les toilettes dont la chasse d'eau et la cuvette sont réunis sont peu encombrantes. Cependant, leur hauteur est prédéterminée et, comme elles reposent sur une colonne, elles occupent un certain espace au sol.

Ci-dessus Une cloison arrondie entoure, en partie, la baignoire et forme une courbe sous la fenêtre. Elle se prolonge le long du mur contigu qui incorpore les toilettes et la vasque semi-encastrée. Le sol reste dégagé et le dessus de la cloison peut servir à poser des objets.

Ci-dessous Les briques de verre laisse passer la lumière, rehaussant ainsi le décor élégant formé par l'association des murs blancs et des mosaïques bleues. Le coffrage servant de placard dissimule la plomberie.

Ci-dessus Pour gagner encore plus de place, on peut aussi exploiter les angles d'une petite salle de bains. Ici, un coffrage d'angle, carrelé avec des mosaïques et surmonté d'une dalle en ardoise, facilitant l'accès à la plomberie, est utilisé pour dissimuler la chasse d'eau.

À droite Un W.-C. et un lavabo sont fixés sur une cloison munie d'un miroir. Elle dissimule aussi la plomberie de la douche et la robinetterie murale. Le panneau rouge situé sur la droite est une porte pivotante.

IDÉES DÉCO

Les images évoquées par l'eau et le bain sont susceptibles de suggérer une foule de décors intéressants sur le plan esthétique ou sensoriel. Disposez par exemple des rangées de coquillages le long des appuis de fenêtres, des coraux sur des étagères à côté des piles de serviettes et de gants de toilette, et des paniers remplis de savons couleur ivoire et de galets ramassés sur la plage. Néanmoins, il arrive que l'on ait juste assez de place pour les sanitaires. Dans ce cas, où mettre des objets décoratifs ? Si vous décidez d'encastrer et de fixer au mur vos sanitaires, comme les W.-C. et les lavabos, vous pouvez poser des étagères au-dessus. En revanche, si vous réalisez une fausse cloison de la hauteur du plafond, vous pouvez y aménager des niches. Si vous installez une baignoire dans un coffrage recouvert de mosaïques, le pourtour pourra vous servir pour disposer des objets. Vous pouvez également poser des étagères à chaque extrémité de la baignoire. Tous les éléments muraux – radiateurs, sèche-serviettes ou supports d'accessoires – permettent d'économiser de la place. C'est également le cas de certains rideaux de douches astucieux, garnis de poches servant à ranger les produits de toilette et les savons.

Les accessoires brillants, en chrome et en acier inoxydable, associés à des peintures à émulsion mates, réfléchissent la lumière et accroissent l'impression d'espace. Les grands miroirs et les surfaces claires vont dans le même sens. On peut également gagner de la place en modifiant le sens d'ouverture de la porte de la salle de bains, de façon à ce qu'elle s'ouvre vers l'extérieur plutôt que vers l'intérieur.

Grande photo page 102
Un lambris à rainures et à languettes convient très bien à la réalisation de cloisons permettant d'aménager des niches et des caches pour les équipements sanitaires. Ici, la plomberie de la baignoire est dissimulée. Une niche équipée d'étagères en verre présente une précieuse collection d'objets du bord de mer, soigneusement étiquetés. L'ensemble est éclairé par une lampe posée dans le haut de la niche.

Petite photo page 102
Dans cette salle de bains, on a astucieusement tiré parti de l'espace situé sous le grand escalier en y logeant un placard. Celui-ci abrite le matériel nécessaire à l'entretien du linge. À l'extrémité de la baignoire, le propriétaire a exploité le léger renfoncement du mur pour poser quelques étagères apparentes.

Ci-dessus Ces niches de forme cubique font d'excellents espaces de rangement et de décoration. Aménagées dans des cloisons, elles s'intègrent au décor d'une manière plus fluide et moins massive que les casiers et les supports muraux destinés aux accessoires de la salle de bains.

LE BUREAU

LE BUREAU

L'AGENCEMENT

Les nouvelles technologies – micro-ordinateurs, Internet, e-mail et télécopieur – permettent à un nombre croissant de personnes de travailler chez elles. En outre, avec la modification du marché du travail, de plus en plus d'actifs ont le statut d'indépendants et travaillent à leur compte. C'est pourquoi le besoin d'avoir un bureau à la maison n'a jamais été aussi grand.

Même s'il est souhaitable de posséder une pièce séparée pour travailler, qui permette notamment de fermer la porte à la fin de la journée sans avoir besoin de tout ranger, c'est rarement possible dans un petit appartement. Plus vraisemblablement, votre espace de travail s'intégrera à une pièce réservée à d'autres fonctions. Si à la maison, votre bureau ne vous sert qu'à trier les papiers et les factures, et si vous n'avez besoin, pour cela, que d'une table, d'une chaise et de quelques dossiers, alors vous pouvez trouver une petite place dans une entrée, sur un palier ou sous un escalier. Vous pouvez aussi trouver un coin dans la cuisine pour installer une tablette murale et un siège.

En revanche, si vous avez besoin d'un bureau à usage professionnel, installez-le en priorité dans votre chambre, généralement inutilisée pendant la journée. Organisez l'espace de manière à ce que chaque objet prenne le moins de place possible. Si cet aménagement est destiné à durer, préférez un lit complètement escamotable. En effet, le sommeil et le travail sont deux activités opposées ; penser à l'une tandis que l'on se consacre à l'autre empêche de se concentrer ou, à l'inverse, de se détendre. Si vous ne pouvez replier votre lit contre un mur, tâchez de le dissimuler à l'aide d'une cloison. De la même

Petite photo Ce petit bureau est situé dans l'appartement d'un couple qui travaille à l'extérieur. Lorsqu'il n'est pas utilisé, il est dissimulé à l'aide d'un store à lamelles en aluminium logé dans une fente au sommet de l'alcôve.

Page 102 Le store dévoile un bureau suffisamment spacieux pour pouvoir s'occuper de ses papiers, ranger des ouvrages utiles dans les étagères cubiques fixées au mur, ainsi qu'une petite chaîne et des disques compacts. Une profondeur suffisante a été prévue pour que la chaise puisse être poussée sous le bureau lorsque le store est baissé.

ALAN CLARK DIARIES
DAVID LODGE
THE PHOTOBOOK

manière, il est important, lorsque vous vous détendez en fin de journée et vous apprêtez à aller vous coucher, que votre bureau, votre ordinateur, votre téléphone et vos dossiers soient dissimulés. Mais si la dissimulation est une bonne solution, il vaut quand même mieux disposer d'un lieu réservé au travail, que vous pouvez complètement fermer une fois que vous avez terminé. L'idéal est d'installer un bureau, une chaise, des boîtes de rangements, des tiroirs et des étagères le long d'un mur. Posez des portes pliantes, coulissantes ou à battants, que vous refermez une fois la journée de travail achevée. Vous pouvez également aménager votre bureau dans le séjour, évitant ainsi d'avoir dans une même pièce des activités diamétralement opposées, comme dans une chambre.

N'oubliez pas que travailler chez soi implique un état d'esprit et une manière de voir les choses différents. Généralement, on rentre plus facilement dans l'univers du travail en sortant de chez soi et en gagnant son bureau, à l'extérieur. À la maison, c'est plus difficile ; c'est pourquoi on trouve d'ordinaire qu'il est plus facile de se mettre au travail lorsque l'on dispose d'un espace bien organisé. Il existe toute une gamme de systèmes de classement et de rangement attrayants qui vous permettront d'utiliser au mieux cet espace.

Photo de gauche Ici, on a créé un bureau astucieux dans l'espace situé sous cette mansarde qui, sinon, serait resté inexploitée. Le bureau peut être rabattu lorsqu'il ne sert pas. De part et d'autre, des placards offrent de vastes espaces de rangement. L'ensemble est recouvert de lattes de bois peintes en blanc. En utilisant pour tous les murs la même couleur neutre, l'irrégularité des formes de la pièce est moins flagrante.

Photo centrale
Sur la mezzanine de cet appartement situé en ville, la balustrade sert de cadre à un petit bureau. Le chariot en métal est le seul élément de rangement utile à un homme d'affaires qui ne travaille chez lui qu'occasionnellement, et dont le matériel se réduit alors à un ordinateur portable et à un téléphone.

L'ÉCLAIRAGE

Pendant la journée, le meilleur des éclairages demeure l'éclairage naturel. Si vous le pouvez, placez votre bureau ou votre table près d'une fenêtre, ce qui stimule et favorise la concentration. En revanche, n'oubliez pas que vous ne devez pas placer l'écran de votre ordinateur devant ou en face d'une fenêtre, pour éviter les reflets désagréables.

Pour les espaces de travail qui ne sont pas situés près d'une fenêtre, et à l'heure où la lumière artificielle devient indispensable, vous aurez besoin d'un éclairage général, doublé d'une lampe forte orientable que l'on peut poser sur le bureau. Les lampes d'architecte sont idéales. Conçues d'une manière ergonomique, leur tête et leur bras articulés peuvent être orientés en tous sens. Il existe aujourd'hui des modèles équipés d'ampoules halogènes, fournissant une lumière plus nette, plus précise et mieux adaptée au travail que les ampoules au tungstène. Si vous manquez réellement d'espace, on trouve des lampes d'architectes et d'autres lampes de bureau conçues selon les mêmes principes, et que l'on fixe sur le côté ou à l'arrière des bureaux ou des étagères. Les lampadaires peuvent également fournir un éclairage adapté au travail. Il existe des modèles orientables, pivotants et extensibles suivant les besoins. Si la seule source d'éclairage est située au centre de la pièce, rallongez le câble et installez-la à l'aide d'un crochet sur le plafond au-dessus de votre table. Vous éviterez ainsi la projection d'ombres résultant d'un éclairage qui serait placé dans votre dos.

À gauche Le palier de cette maison possède d'un côté des rayonnages couvrant toute la hauteur du mur, de l'autre un bureau équipé d'un ordinateur et d'une imprimante. Pendant la journée, le bureau est éclairé par les deux fenêtres. La nuit, c'est une lampe d'architecte qui éclaire l'espace de travail.

Petite photo page 111 Cet espace de travail situé au coin d'un séjour possède un superbe lampadaire chromé, qui peut être positionné de façon à éclairer directement le clavier.

Grande photo page 111 Dans ce minuscule bureau, aménagé sous la voûte d'une petite cave, les architectes ont eu plusieurs idées astucieuses ; ils ont ainsi réussi à mettre en valeur le câble de la lampe, qui serpente sur le plafond incliné, jusqu'au bureau, au-dessus duquel il est accroché.

Time Out
Meilleurs

L'AMEUBLEMENT Lorsque l'on travaille chez soi, l'un des avantages réside dans le fait que l'on peut librement choisir son mobilier, ses accessoires et les couleurs qui nous entourent. Lorsque l'on choisit un bureau, une table ou un plan de travail qui seront utilisés quotidiennement, plusieurs facteurs doivent être pris en compte.

Être assis à une table durant plusieurs heures sollicite beaucoup la colonne vertébrale ; c'est pourquoi il est important de disposer d'une bonne chaise. Les chaises qui se replient, comme les chaises de metteur en scène, sont idéales pour les petits espaces. Si vous disposez d'assez de place, procurez-vous une chaise de bureau, conçue pour soutenir correctement le dos. Elle doit être confortable et permettre à vos pieds de rester en appui sur le sol, vos genoux devant être légèrement plus bas que vos hanches. Vous pouvez aussi facilement, et à peu de frais, réaliser un plan de travail en médium, que vous coupez aux dimensions souhaitées et que vous peignez. Vous pourrez le fixer au mur de manière à ce qu'il se déplie ou se rabatte au gré de vos besoins. Mais il est également possible de le poser sur des tréteaux ou sur deux meubles à dossiers. Il devra être suffisamment haut pour que vos jambes aient assez de place lorsque vos avant-bras reposeront sur le plan de travail et que vos coudes formeront un angle à 90°.

Si votre bureau est installé dans le séjour, être bien organisé et disposer de bons espaces de rangement améliorera non seulement votre efficacité, mais évitera aussi que votre activité ne déborde dans le reste de la pièce. Veillez à prévoir un emplacement pour chaque chose, même s'il ne s'agit que de corbeilles que vous aurez étiquetées, et qui vous serviront à ranger différents papiers.

Page 112 Ce bureau réalisé sur mesure est celui d'un homme d'affaires qui travaille à domicile. Il est surmonté d'une étagère sur laquelle sont disposés des dossiers, des ouvrages de référence et des papiers fréquemment utilisés. Les tiroirs situés, sous le plan de travail, contiennent différents articles de bureau. Un éclairage général est installé dans le haut de l'alcôve, et une petite lampe ajustable fournit une lumière complémentaire. Lorsque le travail est terminé, la porte peut être abaissée pour dissimuler cet espace.

Photo centrale Situé au coin d'une cuisine familiale pleine d'effervescence, ce petit bureau suspendu est au cœur de la gestion quotidienne du ménage, par exemple quand il s'agit de dresser la liste des courses. L'agenda et le téléphone sont à portée de main, sur le bureau, et au mur, un tableau de feutre permet d'épingler des papiers. Une étagère murale contient les annuaires téléphoniques, des magazines et des livres de cuisine.

SOLUTIONS PRATIQUES

AVEDON AN AUTOBIOGRAPHY

LE CHAUFFAGE

Si vous vivez dans un grand studio ou bien une maison ou un appartement de petites dimensions, les modes de chauffage et les radiateurs classiques peuvent ne pas convenir : dans les appartements dont l'espace intérieur est ouvert, les radiateurs conventionnels, disposés sur les murs extérieurs, chauffent rarement d'une manière efficace. En outre, dans les petites pièces, ils occupent un volume précieux le long d'un mur. Le chauffage au sol répartit en revanche la chaleur d'une manière uniforme, et si vous choisissez des revêtements en pierre, en céramique ou en bois, il s'agit d'un investissement rentable. Quel que soit le système choisi, il doit être installé par des professionnels.

Si vous optez pour des radiateurs, il en existe une multitude de modèles. On trouve des reproductions de radiateurs classiques en fonte, aujourd'hui fabriqués en acier tubulaire, que l'on peut acheter en petites sections. Vous pouvez également préférer les convecteurs : ils sont moins encombrants que les radiateurs classiques et peuvent être fixés sur un mur à la hauteur que vous souhaitez. Les convecteurs ont un autre avantage : ils peuvent être encastrés dans une niche du sol ou installés dans les plinthes. Cette dernière solution convient parfaitement aux salles de bains – on peut alors les poser dans les coffrages des baignoires – ou aux cuisines – on les pose alors à la base des meubles. Les radiateurs cylindriques, qui s'insèrent idéalement dans les angles, à la jonction d'un plancher et d'un toit incliné, sont des modèles esthétiques, que l'on pose sur le sol et qui permettent de gagner de la place.

Page 116 à gauche Cette petite alcôve située dans une entrée est juste assez grande pour ce radiateur en acier tubulaire, de style classique. On en trouve différentes tailles, couleurs et finitions métalliques.

Page 116 à droite L'utilisation de foyers ouverts ne doit pas nécessairement être limitée aux intérieurs traditionnels. Dans cet appartement, les architectes ont conçu une cheminée de petites dimensions et aux lignes pures, contenant un panier métallique stylisé qui sert d'appareil de combustion au gaz.

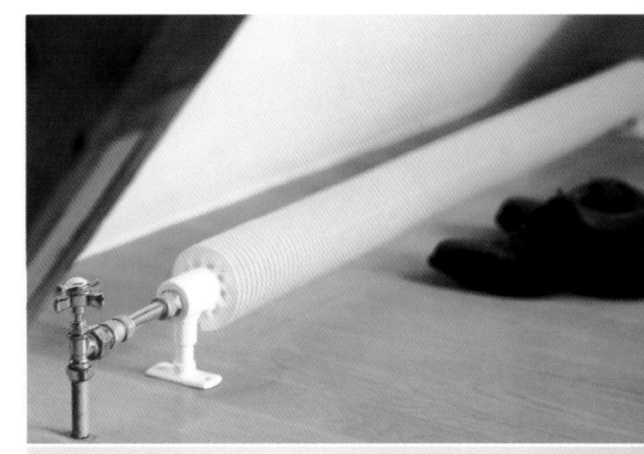

Photo du haut Ce radiateur cylindrique, élégant et discret, constitue un excellent choix pour cette chambre mansardée, de forme inhabituelle. Il s'insère parfaitement dans l'espace situé à la jonction du toit et du sol, en raison de sa faible hauteur.

Ci-dessus Ce convecteur posé sur le sol a un aspect moderne en raison de son élégance et de sa brillance. On peut le composer soi-même à la longueur souhaitée, suivant la capacité de chauffage nécessaire dans une pièce.

L'ÉCLAIRAGE

Mieux vaut se soucier dès le début de cet élément plutôt que de s'en préoccuper après coup, car il revêt une grande importance. Un éclairage efficace n'a pas seulement une finalité pratique, il joue également un rôle considérable sur le plan esthétique. Il peut en effet rendre des couleurs plus lumineuses, rehausser des détails architecturaux intéressants, des meubles ou des textures, et conférer une certaine atmosphère à un lieu.

Utilisez différents types d'éclairages en fonction de vos besoins. Les luminaires encastrés offrent un bon éclairage général. Installez-les de préférence avant d'entreprendre la décoration de votre habitation. Dans les petites pièces, ils constituent une solution ingénieuse car, plus discrets que les plafonniers traditionnels, ils éclairent de surcroît l'ensemble de l'espace, le faisant ainsi paraître beaucoup plus vaste. Ils peuvent être orientés de façon à illuminer certains motifs architecturaux ou des tableaux. Ils sont du plus bel effet lorsqu'ils sont placés à hauteur des marches d'un escalier.

Les néons peuvent être dissimulés au sommet d'une bibliothèque ou d'une étagère. Peu onéreux, ils procurent en outre une lumière généreuse. Placés sous des placards de cuisine, ils éclairent de façon idéale un plan de travail. Si vous fixez une lampe au plafond, puis posez au-dessous un cache qui ne la recouvre pas complètement, la lumière se diffusera sur les côtés et inondera le plafond, donnant l'illusion qu'il est plus haut qu'il ne l'est en réalité.

Photo centrale Ces carrés de lumière aux lignes sobres éclairent parfaitement les marches, mettant en valeur les tons chauds du bois et les murs couleur cannelle.

Photo page 119, à droite L'association de plusieurs types d'éclairages crée un effet de profondeur intéressant. Les luminaires encastrés dans le plafond sont orientés de façon à bien éclairer les tableaux suspendus aux murs, tandis que ceux du sol projettent une lumière verticale qui illumine les murs lambrissés et donne l'impression d'un tunnel débouchant sur une pièce plus claire.

Photo du haut Dans cette petite maison, l'architecte a isolé un espace au rez-de-chaussée, près de l'entrée. Cette pièce étroite, qui tient lieu de buanderie, n'est pas visible depuis l'entrée grâce aux trois panneaux en bois qui la dissimulent avec élégance.

Photo du bas Le panneau central est une porte pivotante. Les appareils ménagers sont alignés sous un plan de travail comportant également un évier. Au-dessus, des placards muraux permettent d'entreposer des paquets de lessive ou d'autres produits.

LA BUANDERIE

Certes les appareils ménagers nous facilitent la vie, mais ils ne sont guère décoratifs. Pour la majorité d'entre nous, les machines à laver et sèche-linge sont devenus indispensables. Ils doivent être facilement accessibles, de préférence situés à côté d'un évier, dans une pièce comportant un meuble de rangement, un plan de travail, ainsi qu'un séchoir ou une penderie. Les grandes maisons disposent la plupart du temps de buanderies. Cependant, lorsque la place manque, les appareils ménagers sont souvent relégués dans la cuisine ou la salle de bains. Pourtant, il est parfois possible de les installer dans un coin de l'entrée ou sous une cage d'escalier.

Il est bien sûr important d'effectuer d'abord les travaux de plomberie, et de s'occuper de l'aération (bien que les machines à laver avec sèche-linge incorporé soient équipées d'un condensateur, qui transforme l'air humide en eau, qui est ensuite évacuée par le tuyau de vidange). Il existe des lave-linge et des sèche-linge plus petits que la normale. Empilés, ils permettent de gagner de la place.

Leur disposition dépendra de l'agencement de l'espace restant. Si votre cuisine n'est pas séparée, par des cloisons, de la pièce dans laquelle vous prenez vos repas ou recevez éventuellement du monde, il vous faudra trouver un autre lieu pour vos appareils ménagers.

Ci-dessus Dans cet appartement, le placard faisant office de buanderie est dans la salle de bains. Il dissimule un sèche-linge, placé à droite du lave-linge. Les éléments muraux servent de penderie.

RANGER LE SUPERFLU

Vêtements ou objets peuvent être divisés en deux catégories : ceux que nous utilisons régulièrement et ceux dont nous nous servons occasionnellement. Ensuite, il y a ce que nous préférons dissimuler et au contraire, ce que nous aimons bien exposer. La plupart des chose, peuvent être rangées de façon efficace, c'est-à-dire à l'endroit le mieux adapté et le plus facile d'accès, mais certaines restent souvent inclassables, voire superflues !

Il s'agit, entre autres, des choses que nous utilisons rarement ou dont nous n'avons besoin qu'une fois par an : certains vêtements ou chaussures, des livres trop grands pour pouvoir être empilés sur des étagères encastrées, voire des tableaux que nous suspendrons peut-être dans notre prochaine demeure, mais pour lesquels nous ne disposons pas d'assez d'espace pour le moment. En théorie, mieux vaudrait s'en débarrasser sans états d'âme, mais nous n'y sommes pas toujours prêts. Comment, par conséquent, ranger ces diverses affaires dans un endroit conçu de façon ergonomique, mais aux dimensions réduites ?

Il est toujours possible de trouver de nouveaux espaces de rangement dans votre habitation, notamment en tirant parti des escaliers. N'hésitez pas à placer en hauteur ce dont vous vous servez peu, quitte à utiliser une échelle en cas de besoin. Avec un peu d'imagination, vous pouvez aussi transformer en lieu de rangement des avant-toits, de petites alcôves ou des appuis de fenêtres.

Photo de gauche
Dans cet appartement du centre ville, on a tiré le meilleur parti de cet immense palier en y installant des étagères et des placards.

Grande photo page 123
Dans l'entrée, un placard discret a été aménagé derrière une porte, au pied de l'escalier. Quand la porte est fermée, le placard se confond avec le mur.

Petite photo page 123
Le propriétaire de cet appartement a su utiliser la petite pièce qui abritait le système de chauffage central. Il y a installé des penderies avec des casiers de rangement au-dessus, pour entreposer des serviettes, des draps et des articles de toilette. Il reste encore assez d'espace pour les nombreuses boîtes de chaussures, dont la collection ne cesse de s'agrandir.

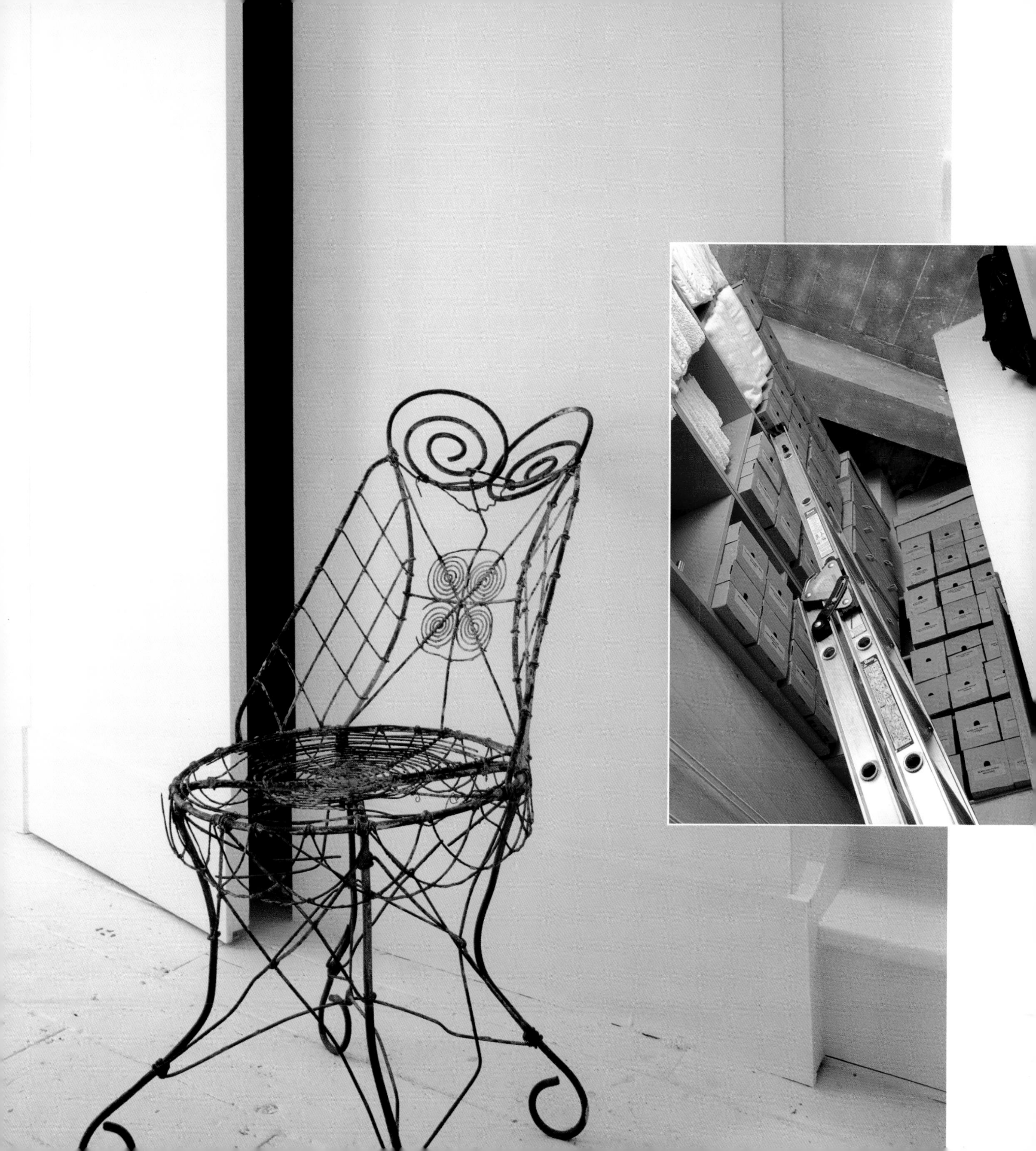

CARNET D'ADRESSES

MEUBLES, RANGEMENTS ET ACCESSOIRES

The Conran Shop
117, rue du Bac
75007 Paris
Tél. : 01 42 84 10 01

30, bd des Capucines
75009 Paris
Tél. : 01 53 43 29 00

Habitat
8, rue de l'Étoile
75017 Paris
N° Vert 0 800 010 800

Service clients 0 810 818 283

Espace Habitat
Cuisine, électroménager, salle de bains, installation, agencement d'appartements
174, boulevard Voltaire
75011 Paris
Tél. : 01 43 72 72 72

Ikea
Service consommateurs
0 825 379 379

Points de vente :

Tél. : 01 39 10 20 20

Muji
Siège social
15, rue de l'Abbé Grégoire
75006 Paris
Tél. : 01 42 22 58 68

47, rue des Francs-Bourgeois
75004 Paris
Tél. : 01 49 96 41 41

19, rue Auber
75009 Paris
Tél. : 01 43 12 54 00

27, rue Saint-Sulpice
75006 Paris
Tél. : 01 46 34 01 10

Pier import
Siège social
25, avenue Marceau
75016 Paris
Tél. : 01 40 69 28 00

Starck
18, rue du Faubourg-du-Temple
75011 Paris
Tél. : 01 48 07 54 54

LUMINAIRES

Artemide
6-8, rue Basfroi
75011 Paris
Tél. : 01 43 67 17 17

Flos
42 bis, rue de Bourgogne
75007 Paris
Tél. : 01 53 59 58 88

SALLES DE BAINS

ONIRIS
61, route de la Reine
92100 BOULOGNE
Tél. : 01 46 04 75 87

CUISINES

Goldreif (cuisines)
25, boulevard Exelmans
75016 Paris
Tél. : 01 45 24 62 81

Novatis
Novatis Saint Germain
75005 Paris
Tél. : 01 43 54 11 30

Novatis Étoile
75008 Paris
Tél. : 01 42 89 81 82

Villeroy & Boch
Points de vente
Tél. : 01 34 45 21 21

GRANDS MAGASINS

BHV
Bazar de l'Hotel de Ville
52, rue de Rivoli
75004 Paris
Tél. : 01 42 74 90 00

Renseignements magasins, services et promotions
119, avenue de Flandre
75019 Paris
Tél. : 01 42 74 99 00

Galeries Lafayette
40, boulevard Haussmann
75009 Paris
Tél. : 01 42 82 34 56

Décoration et architecture d'appartements
Tél. : 01 42 82 36 36

La Samaritaine
19, rue de la Monnaie
75001 Paris
Tél. : 01 40 41 20 20

Le Bon Marché
24, rue de Sèvres
75007 Paris
Tél. : 01 44 39 88 00

Printemps
Points de vente
Tél. : 01 42 82 50 00

ARCHITECTES ET DESIGNERS

Conseil national de l'ordre des architectes
7, rue de Chaillot
75116 Paris
Tél. : 01 47 23 81 84

AEM Studio Ltd
80 O'Donnell Court
Brunswick Centre
Brunswick Square
London, WC1N 1NX
Tél. : 00 44 171 713 91 91
Fax : 00 44 171 713 91 99
pages 8-9, 19-21, 46-47, 76, 94, 101, 105, 116

Ash Sakula Architects
Studio 115
38 Mount Pleasant
London, WC1X 0AN
Tél. : 00 44 171 837 97 35
Fax : 00 44 171 837 97 08
pages 31, 40-41, 65, 69, 97, 101, 111-112

Circus Architects
1 Summer's Street
London, EC1R 5BD
Tél. : 00 44 171 833 18 88
Fax : 00 44 171 833 18 88
pages 7, 14-17, 37, 56-57, 78-79, 92-93, 100, 109, 119

Granit Chartered Architects
112 Battersea
Business Centre
Lavender Hill
London, SW11 5QL
Tél. : 00 44 171 924 45 55
Fax : 00 44 171 924 56 66
pages 13, 22, 24-25, 42-43, 61, 71, 80-81, 98, 100, 117

Hawkins Brown Architects
60 Bastwick Street
London, EC1V 3JN
Tél. : 00 44 171 336 80 30
Fax : 00 44 171 336 88 51
pages 32-35, 88-89

Hugh Broughton Architects
4 Addison Bridge Place
London, W14 8XP
Tél. : 00 44 171 602 88 40
Fax : 00 44 171 602 52 54
pages 2, 10, 11, 96, 106-107

Hugh Pilkington Architect
Richmond House
Gedgrave
Orford
Suffolk, IP12 2BU
Tél. : 00 44 1394 450 102
page 120

Littman Goddard Hogarth
12 Chelsea Wharf
15 Lots Road
London, SW10 0QJ
Tél. : 00 44 171 351 78 71
Fax : 00 44 171 351 41 10
pages 38-39, 54-55, 66-67, 72-73, 77, 87, 98, 117

Wells Mackereth Architects
Unit 14
Archer Street Studios
10 – 11 Archer Street
London, W1V 7HG
Tél. : 00 44 171 287 55 04
Fax : 00 44 171 287 55 06
pages 27-29, 48-49, 62, 90-91, 98-99, 103, 112, 115-116, 121

The Works
Tél. : 00 44 1502 57 87 93
page 63

INDEX

Les numéros de pages figurant en **gras** se rapportent aux illustrations

Remerciements de l'auteur

Je remercie en particulier les architectes suivants pour leur aide et l'enthousiasme qu'ils ont montré dans la recherche des appartements présentés dans ce livre : Pascal Madoc Jones et Glyn Emrys du cabinet AEM Studio Ltd ; Cany Ash, du cabinet Ash Sakula Architects ; Joanna Mehan du cabinet Granit Chartered Architects ; Sally Mackereth du cabinet Wells Mackereth Architects ; Vicky Emmett du cabinet Hawkins Brown Architects ; Ian Hogarth du cabinet Littman Goddard Hogarth ; et enfin Donnathea Bradford du cabinet Circus Architects. Je remercie également les propriétaires qui nous ont aimablement autorisés à photographier leur intérieur, notamment Andrea Spencer, Pat Walker et Roger Hipwell, ainsi que Linda Farrow et Charlie Hawkins, chez The Works. Je remercie en outre pour ses excellents conseils relatifs à l'utilisation des couleurs Judy Smith, consultante chez Crown Paints, et Louis Saliman de CP Hart pour ses indications concernant les salles de bains. Je n'oublie pas Judith More, Janis Utton et Stephen Guise des éditions Mitchell Beazley pour leurs encouragements, leur aide et leur patience. Enfin, j'adresse un immense merci à Dominic Blackmore, pour avoir contribué à la recherche des appartements présentés dans cet ouvrage et pour ses splendides photographies.

BE YOUR BEST YOU

BE KIND!

A HERO'S GUIDE TO BEATING BULLYING

ELSIE OLSON

Consulting Editor, Diane Craig, M.A./Reading Specialist

Super Sandcastle

An Imprint of Abdo Publishing
abdobooks.com

abdobooks.com

Published by Abdo Publishing, a division of ABDO, PO Box 398166, Minneapolis, Minnesota 55439.

Printed in the United States of America, North Mankato, Minnesota
052019
092019

Design: Sarah DeYoung, Mighty Media, Inc.
Production: Mighty Media, Inc.
Editor: Jessica Rusick
Cover Photographs: iStockphoto; Shutterstock Images
Interior Photographs: iStockphoto; Mighty Media, Inc.; Shutterstock Images

Library of Congress Control Number: 2018966950

Publisher's Cataloging-in-Publication Data
Names: Olson, Elsie, author.
Title: Be kind! a hero's guide to beating bullying / by Elsie Olson
Other title: A hero's guide to beating bullying
Description: Minneapolis, Minnesota : Abdo Publishing, 2020 | Series: Be your best you
Identifiers: ISBN 9781532119668 (lib. bdg.) | ISBN 9781532174421 (ebook)
Subjects: LCSH: Bullying--Prevention--Juvenile literature. | Bullying in schools--Juvenile literature. | Bravery--Juvenile literature. | Heroism--Juvenile literature. | Self-confidence in children--Juvenile literature.
Classification: DDC 371.58--dc23

CONTENTS

BE YOUR BEST YOU!

Have you ever felt different? Have you ever felt bad? Has someone said something that made you feel sad?

Superheroes know bullying is wrong. They protect those around them. They always stay strong.

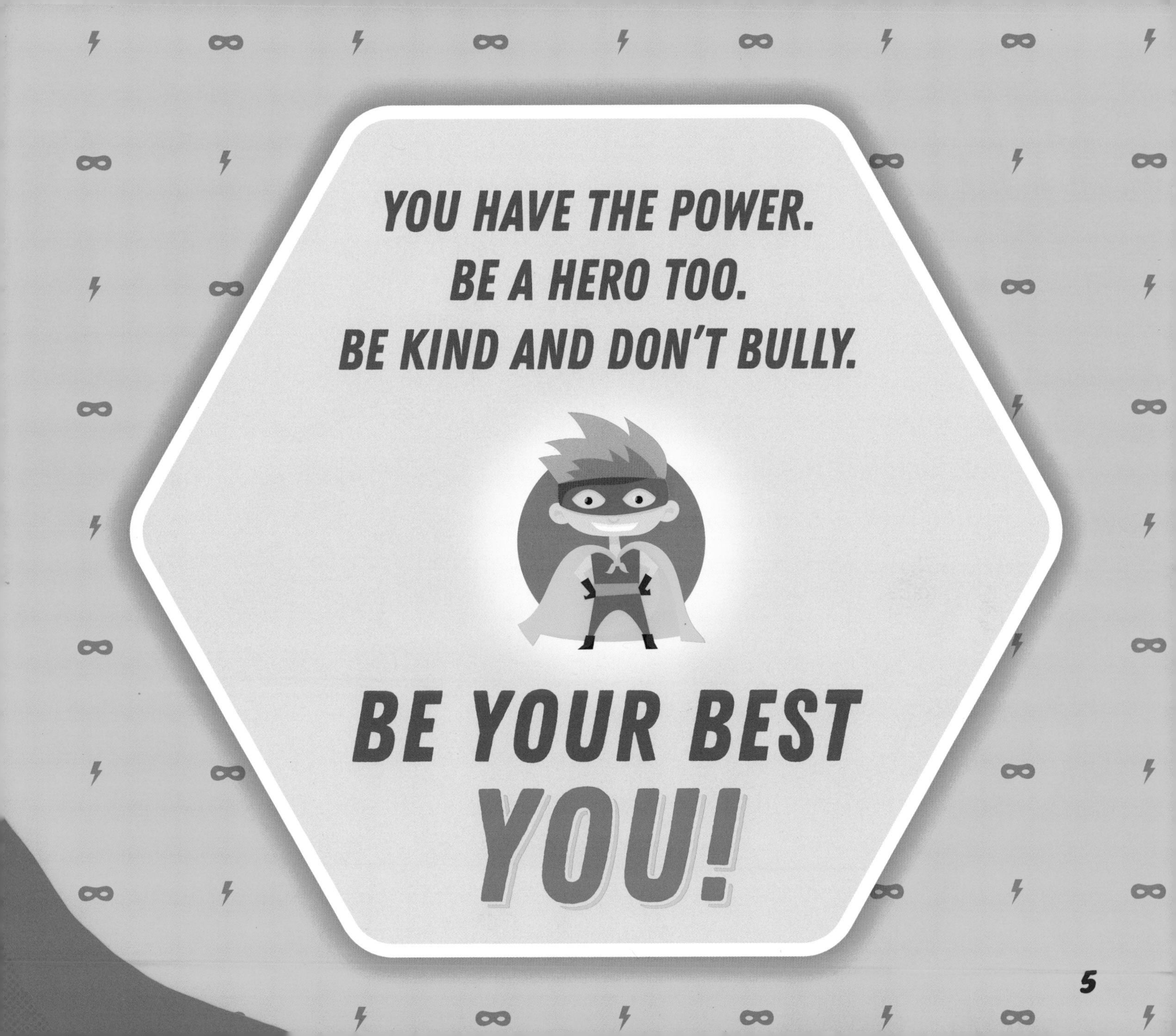
YOU HAVE THE POWER.
BE A HERO TOO.
BE KIND AND DON'T BULLY.
BE YOUR BEST
YOU!

WHAT IS BULLYING?

Bullying is when someone is mean to someone else on purpose. Kids who bully are mean again and again. They are not kind to those around them.

Have You Been Bullied?

- Has someone ever said things to make you feel bad?
- Are you afraid to go to school because you think you will be picked on?

Some people bully by pushing, kicking, or hitting. Other people bully by saying hurtful things. A person can also bully by leaving someone out.

These are signs of bullying!

Have YOU Bullied?

- Have you ever said something mean to someone to hurt her feelings?
- Have you ever left someone out of an activity on purpose?

BE KIND AND BEAT BULLYING!

Bullying can happen anywhere. Kids are bullied at school, on the bus, and even online.

Bullying is a choice. Bullies are just regular kids who make bad choices.

STANDING UP
TO BULLYING IS ALSO A CHOICE.
YOU HAVE THE SUPERPOWERS TO
BEAT BULLYING.
Choose to be kind to others!

SUPERPOWER!

EMPATHY

Empathy is one superpower to beat bullying. It means trying to imagine how someone else feels. How would you feel if someone was picking on you?

DON'T BULLY BACK!

Show **empathy** by standing up for someone being bullied. Being kind to kids who bully also shows empathy. When all kids are kind to one another, no one bullies.

SUPERPOWER!

COMPASSION

Compassion is another superpower. It means wanting to make others feel better. You can show compassion in many ways. Listen to a friend who is feeling sad. Give your mom or dad a hug when they have a hard day.

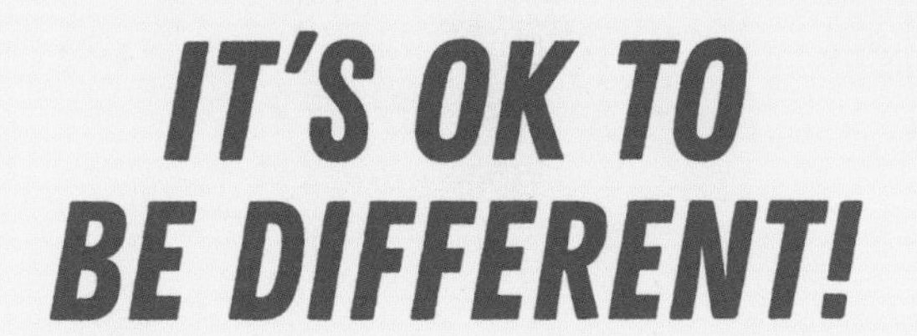

It can be hard to feel **compassion** for someone who is different from you. But remember, someone else might think you are different!

Everyone deserves compassion.

SUPERPOWER!

GOOD DEEDS

Superheroes are all about action. Good deeds are actions that show kindness. When you do a good deed, it makes others feel good. They are less likely to bully!

GOOD DEED IDEAS

SAY HELLO TO A STRANGER.

LISTEN TO A FRIEND TALK ABOUT THEIR HOBBY.

ASK A NEW STUDENT TO PLAY AT RECESS.

HELP SOMEONE WHO HAS
TRIPPED OR FALLEN.

SUPERPOWER!

FIND A BUDDY, BE A BUDDY

Friendship is a great superpower. Many kids who bully pick on kids who are alone. Choose to be a friend to someone being bullied.

TWO VOICES ARE STRONGER THAN ONE.
Ask a friend to stand up to bullying. Soon other kids will join too!

SUPERPOWER!

JUST SAY STOP

Sometimes kindness isn't enough to stop bullying. Being **assertive** is another superpower. This means being **confident** in your actions. If you see someone bullying, stand up tall. Then tell them to stop.

BREATHE!

Standing up to bullying can be scary. When you feel scared, take deep, slow breaths. This can calm you.

SUPERPOWER!

TELL SOMEONE

Bullying is a big deal. Your superpowers will not always beat bullying. Tell a trusted adult when you see bullying.

Superheroes know they cannot fight bullying all on their own. So find a team to help you!

TELLING OR TATTLING?

Some kids worry telling an adult about bullying is **tattling**. But it isn't. Telling an adult is the right thing to do!

BE A HERO!

It's your turn to take a
stand. Act like a hero.
Lend a hand.

With the words you say
and the things you do,
be kind to others.
Be your best you!

WHAT WOULD YOU DO?

Being a hero is about making kind choices. How would you use your superpowers in the situations below?

You see the new kid at your school eating lunch alone.

Someone is making fun of a classmate and wants you to join in.

Your friend seems sad, but you are not sure why.

GLOSSARY

assertive – characterized by making bold statements or actions.

compassion – being aware of other people's distress and wanting to help lessen it.

confident – sure of one's self and one's abilities.

empathy – the action of understanding, being aware of, and being sensitive to other people's feelings and thoughts.

tattle – to tell an adult about something bad or wrong another child has done in order to get that child in trouble.

ONLINE RESOURCES

To learn more about being kind and beating bullying, visit **abdobooklinks.com** or scan this QR code. These links are routinely monitored and updated to provide the most current information available.